NOUVEAUX CLASSIQUES LAROUSSE

Collection fondée en 1933 par
FÉLIX GUIRAND

continuée par
LÉON LEJEALLE (1949 à 1968) et JEAN-POL CAPUT (1969 à 1972)
Agrégés des Lettres

LES FAUX-MONNAYEURS

extraits

Librairie Larousse (Canada) limitée, propriétaire pour le Canada des droits d'auteur et des marques de commerce Larousse. – Distributeur exclusif au Canada : les Éditions Françaises Inc., licencié quant aux droits d'auteur et usager inscrit des marques pour le Canada.

Phot. Giraudon.

« Là, près de la Fontaine Médicis [...] avaient coutume de se retrouver, chaque mercredi entre quatre et six, quelques-uns de ses camarades » (page 24).

La Fontaine Médicis dans les jardins du Luxembourg.

ANDRÉ GIDE

LES FAUX-MONNAYEURS

extraits

avec une Notice biographique, une Notice historique et littéraire,
des Notes explicatives, une Documentation thématique,
des Jugements, un Questionnaire et des Sujets de devoirs,
par

MAURICE BRUÉZIÈRE
Agrégé des Lettres

ÉDITION REMISE À JOUR

LIBRAIRIE LAROUSSE
17, rue du Montparnasse, et boulevard Raspail, 114
Succursale : 58, rue des Écoles (Sorbonne)

ANDRÉ GIDE ET SON TEMPS

	LA VIE ET L'ŒUVRE D'ANDRÉ GIDE	LE MOUVEMENT INTELLECTUEL ET ARTISTIQUE	LES ÉVÉNEMENTS HISTORIQUES
1869	Naissance d'A. Gide à Paris (22 novembre).	G. Flaubert : *l'Éducation sentimentale.* P. Verlaine : *les Fêtes galantes.* Mort d'H. Berlioz.	Opposition croissante contre l'Empire. Réformes libérales Ouverture du canal de Suez.
1891	*Les Cahiers d'André Walter.*	E. Zola : *l'Argent.* M. Barrès : *le Jardin de Bérénice.* Mort d'A. Rimbaud. Travaux d'Helmholtz sur l'électricité.	Fusillades de Fourmies. Rapprochement franco-russe Première automobile.
1893	Voyage en Afrique du Nord. *Le Voyage d'Urien.*	S. Mallarmé : *Vers et prose.* A. Samain : *Au jardin de l'infante.*	Conclusion d'une convention militaire franco-russe. Affaire de Panama.
1895	Mariage. *Paludes.*	P. Valéry : *Introduction à la méthode de Léonard de Vinci.* E. Verhaeren : *les Villages illusoires ; les Villes tentaculaires.*	Élection de F. Faure à la présidence de la République.
1897	*Les Nourritures terrestres.*	H. Bergson : *Matière et mémoire.* M. Barrès : *les Déracinés.* Ch. Péguy : *Jeanne d'Arc,* drame en trois actes. E. Rostand : *Cyrano de Bergerac.* P. Dukas : *l'Apprenti sorcier.*	
1899	*Le Prométhée mal enchaîné.*	A. France : *Pierre Nozière.* J. Renard : *le Pain de ménage.*	Deuxième procès Dreyfus. Fin de la conquête de Madagascar.
1902	*L'Immoraliste.*	Mort d'E. Zola. Cl. Debussy : *Pelléas et Mélisande.*	Ministère Combes. Jaurès vice-président de la Chambre.
1909	*La Porte étroite.*	Première année de la N. R. F.	
1914	*Les Caves du Vatican.* Voyage en Turquie.	P. Claudel : *la Cantate à trois voix.* M. de Falla : *la Vie brève.*	Assassinat de Jaurès. Première Guerre mondiale. Bataille de la Marne.
1919	*La Symphonie pastorale.*	M. Proust : *A l'ombre des jeunes filles en fleurs.* J. Cocteau : *le Bœuf sur le toit.* Groupe musical des Six.	Traité de Versailles. Fondation de la IIIe Internationale. Élections françaises favorables au bloc national.

ISBN 2-03-034400-1

1920	*Si le grain ne meurt.*	M. Proust : *le Côte de Guermantes.* G. Duhamel : *la Confession de minuit.* Premier manifeste « dada ». P. Valéry : *Album de vers anciens.* Mort de Modigliani.	Élection d'A. Millerand à la présidence de la République. Opposition du Sénat américain à l'adhésion des États-Unis à la S. D. N.
1925	Départ pour le Congo.		Pacte de Locarno.
1926	*Les Faux-Monnayeurs.*	J. Giraudoux : *Bella.* G. Bernanos : *Sous le soleil de Satan.* H. de Montherlant : *les Bestiaires.* P. Éluard : *Capitale de la douleur.*	Crise financière : chute du ministère Herriot, remplacé par un ministère R. Poincaré. Reddition d'Abd el-Krim.
1929	*L'École des femmes.*	J. Cocteau : *les Enfants terribles.* J. Giono : *Colline.* P. Claudel : Publication du *Soulier de satin.*	Retraite de R. Poincaré. Ministères modérés Laval et Tardieu. Krach financier à la Bourse de New York.
1932	Adhésion au Congrès d'Amsterdam.	J. Romains : début des *Hommes de bonne volonté.*	Assassinat de P. Doumer. Franklin Roosevelt élu président des États-Unis.
1935	*Les Nouvelles Nourritures.*	J. Giraudoux : *La guerre de Troie n'aura pas lieu.* A. Malraux : *le Temps du mépris.* A. Honegger : *Jeanne au bûcher.*	Guerre d'Éthiopie.
1936	Voyage en Russie. *Geneviève. Retour de l'U. R. S. S.*	G. Bernanos : *Journal d'un curé de campagne* R. Martin du Gard : *l'Été 1914. Les Temps modernes,* film de Ch. Chaplin.	Victoire électorale du Front populaire. Guerre civile espagnole Réélection de F. D. Roosevelt
1939	Première édition complète du *Journal.*	J. Giraudoux : *Ondine.* Saint-Exupéry : *Terre des hommes.* J.-P. Sartre : *le Mur.*	Occupation de la Tchécoslovaquie puis invasion de la Pologne. Début de la Seconde Guerre mondiale.
1942	Départ pour la Tunisie.	A. Camus : *l'Etranger.* H. de Montherlant : *la Reine morte.*	Début de la contre-offensive russe. Charte de l'Atlantique.
1946	*Thésée. Journal* (1939-1942).	H. de Montherlant : *Malatesta.*	Gouvernement de Gaulle.
1947	Prix Nobel de littérature.	A. Camus : *la Peste.* H. de Montherlant : *le Maître de Santiago.* J. Anouilh : *l'Invitation au château.* A. Malraux : *la Psychologie de l'art.*	Élection de V. Auriol à la présidence de la République. Plan Marshall. Échec du R. P. F. aux élections.
1951	Mort d'A. Gide à Paris (19 février).	A. Malraux : *les Voix du silence.*	

RÉSUMÉ CHRONOLOGIQUE DE LA VIE D'ANDRÉ GIDE
(1869-1951)

22 novembre 1869. — Naissance à Paris, 19, rue de Médicis, d'André Gide, fils de Paul Gide, professeur à la Faculté de droit, et de Juliette Rondeaux.
1877. — Entrée à l'École alsacienne.
1880. — Mort de Paul Gide, père de l'écrivain.
1885. — Première communion.
Juillet 1888. — Baccalauréat.
1891. — Invitations chez Mallarmé. *Les Cahiers d'André Walter. Le Traité de Narcisse.*
1892. — *Les Poésies d'André Walter.*
1893. — Départ pour l'Afrique du Nord. *La Tentative amoureuse. Le Voyage d'Urien.*
1895. — Mariage avec Madeleine Rondeaux à Étretat. *Paludes.*
1897. — *Les Nourritures terrestres.*
1899. — *Philoctète. Le Prométhée mal enchaîné.*
1900. — *Lettres à Angèle.*
1901. — *Le Roi Candaule.*
1902. — *L'Immoraliste.*
1903. — Voyage en Allemagne, notamment à Weimar. *Saül. Prétextes.*
1906. — *Amyntas.*
1907. — *Le Retour de l'Enfant prodigue.*
1908-1909. — Fondation de la N. R. F. *La Porte étroite.*
1910. — Voyage en Andorre. *Oscar Wilde. In memoriam.*
1911. — *Nouveaux Prétextes. Isabelle.*
1912. — Juré à la cour d'assises de Rouen.
1914. — Voyage en Turquie. *Souvenirs de la cour d'assises. Les Caves du Vatican.*
1919. — *La Symphonie pastorale.*
1920-1921. — *Si le grain ne meurt.*
1922. — *Numquid et tu?*
1923. — Voyage en Corse. *Dostoïevsky.*
1924. — Édition publique de *Corydon* (publié à tirage restreint en 1911). *Incidences*
1925. — Départ pour le Congo (juillet).
1926. — Retour en France (juin), en passant par le Tchad. *Les Faux-Monnayeurs. Le Journal des Faux-Monnayeurs.*
1927. — *Voyage au Congo.*
1928. — *Retour du Tchad.*
1929. — *L'Ecole des femmes. Essai sur Montaigne. Robert.*
1931. — *Œdipe. Divers.*
1932. — Adhésion au congrès d'Amsterdam (contre la guerre).
1933. — Réclame la libération de Thaëlmann (chef du parti communiste allemand).
1934. — Membre de la Royal Society of Literature de Londres. *Perséphone.*
1935. — *Les Nouvelles Nourritures.*
1936. — Voyage en Russie. *Geneviève. Retour de l'U. R. S. S.*
1937. — *Retouches à mon Retour de l'U. R. S. S*
1938. — Mort de Mme André Gide.
1939. — Première édition complète du *Journal* (1889-1939).
1941. — *Découvrons Henri Michaux.*
Mai 1942. — Départ pour la Tunisie.
1943. — Séjour en Algérie. *Interviews imaginaires.*
1946. — Voyage en Égypte. *Thésée. Journal* (1939-1942).
1947. — Prix Nobel de littérature. *Le Procès*, pièce tirée du roman de Kafka.
1948. — *Correspondance entre Francis Jammes et André Gide* (1893-1938). *Proserpine.*
1949. — Grave maladie. *Feuillets d'automne. Anthologie de la poésie française.*
1950. — *Correspondance entre P. Claudel et A. Gide* (1899-1926). *Journal* (1942-1949). *Littérature engagée.*
1951. — *Et nunc manet in te.* Mort, à Paris (19 février).

André Gide est né sept ans après M. Barrès; un an après R. Rolland et P. Claudel; deux ans avant P. Valéry et M. Proust; quatre ans avant C. Péguy et Colette; treize ans avant J. Giraudoux; quinze ans avant G. Duhamel; seize ans avant F. Mauriac, A. Maurois et J. Romains; vingt-trois ans avant J. Cocteau; vingt-sept ans avant H. de Montherlant; trente ans avant A. Malraux; trente et un ans avant Saint-Exupéry; trente-six ans avant J.-P. Sartre; quarante-quatre ans avant A. Camus.

ANDRÉ GIDE

Les circonstances n'expliquent pas la mystérieuse essence du génie. Mais, dans la mesure où elles lui donnent sa *forme*, elles contribuent puissamment à le comprendre. Fils de paysans ou d'ouvriers, élevé dans la religion catholique, contraint de gagner sa vie, André Gide fût *devenu* fort différent de ce qu'il a été. Lui-même a souligné l'influence qu'ont exercée ses origines sur son caractère divisé et sur sa nature vagabonde : « Né à Paris, d'un père uzétien et d'une mère normande, s'écrie-t-il dans *Prétextes*, où voulez-vous, Monsieur Barrès, que je m'enracine? » Dès le principe, la position antibarrésienne est fixée : les origines préfigurent, ici, l'homme et l'œuvre.

Les premiers éléments de la biographie n'ont pas moins d'importance. La date de naissance — 22 novembre 1869 — fait de Gide le contemporain de Proust, de Valéry, de Claudel, de Suarès, c'est-à-dire d'écrivains que le *mépris de l'actualité* réunit autour d'un même credo esthétique. Les années d'enfance, passées rue de Médicis, puis rue de Tournon, à proximité des jardins du Luxembourg, ouvrent les yeux sur un univers dont se nourriront. plus tard, *les Faux-Monnayeurs*. La mort prématurée d'un père libéral, disparu en 1880, livre très tôt le jeune André à la tutelle d'une mère volontiers tyrannique, qui impose à son fils le corset de fer d'une éducation strictement puritaine — *puritanisme* contre lequel, à partir de la vingt-cinquième année, il ne cessera de regimber. L'appartenance, enfin, à une famille de la riche bourgeoisie, où la lecture est fort en honneur, incline l'adolescent moins vers la recherche d'une profession lucrative que vers les spéculations désintéressées de la littérature.

Aussi, après des études irrégulières qui le font passer, notamment, par l'École alsacienne, puis par le lycée de Montpellier, voyons-nous sans surprise André Gide fréquenter de très bonne heure les milieux littéraires, où l'entraîne d'ailleurs son ami Pierre Louÿs. C'est à cette époque qu'il fait la connaissance de Valéry, à qui le liera une indéfectible amitié, et surtout de Mallarmé, qui le convie chez lui, aux fameux « mardis » de la rue de Rome, et qui lui laisse une impression profonde, indélébile même. L'empreinte — et presque l'afféterie — symboliste, dont il ne se débarrassa jamais totalement, est du reste flagrante dans ses premières œuvres : les *Cahiers d'André Walter* (1891), le *Traité de Narcisse* (1891), le *Voyage d'Urien* (1893).

Dispensé du service militaire, et même réformé pour « tuberculose », Gide s'embarque pour l'Afrique du Nord, en octobre 1893.

Il a pour compagnon de voyage le peintre Paul-Albert Laurens, que tenaille le même « idéal d'équilibre, de plénitude, de santé[1] ». L'influence du séjour africain (1893-1895) est capitale. Repoussant avec violence les impératifs de son éducation puritaine, le jeune homme reçoit la révélation foudroyante de ce qu'il est, au point de vue sexuel aussi bien que moral, et traduit son enivrement, en 1897, dans le lyrisme exalté des *Nourritures terrestres.*

Cependant, en 1895, André Gide épouse sa propre cousine germaine, Madeleine Rondeaux, qui revit dans l'Emmanuèle des *Cahiers d'André Walter*, dans la Marceline de *l'Immoraliste* et l'Alissa de *la Porte étroite*. Mariage resté blanc, par la volonté de l'écrivain, et source de remords qui pesèrent de plus en plus lourd sur sa conscience, comme en témoigne l'opuscule intitulé *Et nunc manet in te*, publié en 1951, aux approches de la mort.

Tout en continuant d'écrire des œuvres qui demeurent sans audience, telles que *le Prométhée mal enchaîné* (1899), *l'Immoraliste* (1902), *Saül* (1903), tout en poursuivant ses voyages — toute sa vie, il eut le goût de courir le monde —, il fonde, en 1908-1909, avec le concours d'amis comme Henri Ghéon, Jacques Copeau, Jean Schlumberger, la glorieuse *Nouvelle Revue française*. Grand découvreur de talents inédits, il y accueille Roger Martin du Gard, Jules Romains, Alain-Fournier, Jean Giraudoux. A la veille de la Première Guerre mondiale, la *N. R. F.*, forte de 3 000 abonnés et dotée (depuis 1911) d'une maison d'édition, devient le principal foyer de la jeune littérature, dont, en sous-main, Gide tire quelque peu les ficelles.

Lui-même, d'ailleurs, commence à émerger. *La Porte étroite*, en 1909, obtient un certain succès de librairie, et *les Caves du Vatican*, en 1914, le désignent comme chef de file de l'avant-garde littéraire. Gide, toujours si attentif à faire figure de proue, impose peu à peu sa présence.

Trop âgé pour participer activement à la guerre de 1914-1918, il se dépense du moins au service des réfugiés. Mais surtout, il est alors l'objet d'une grave crise religieuse, qui frappe également plusieurs de ses amis : Ghéon, Copeau, Rivière, entre autres. Peu s'en faut qu'il ne revienne au catholicisme, comme en témoigne la plaquette intitulée *Numquid et tu?*, écrite en 1916 et publiée en 1922. Néanmoins, il tient bon et commence la rédaction de ses *Mémoires*, préparant ainsi sa rentrée sur la scène littéraire. Cette rentrée, amorcée timidement avec *la Symphonie pastorale* (1919), s'opère avec éclat quelques années plus tard : dans *Corydon* (1924), il fait l'apologie de l'homosexualité, et, dans *Si le grain ne meurt* (1926), il y ajoute l'appui de son exemple personnel, avoué et proclamé à la face de tous.

Une campagne de dénigrement, dite *Croisade des Longues*

1. *Si le grain ne meurt.*

Figures, est alors lancée contre lui. Le polémiste Henri Béraud déclare que « la nature a horreur du Gide ». Et une brochure anonyme le dénonce comme *Un malfaiteur*. Au lieu d'étouffer l'écrivain sous le scandale, la « Croisade » contribue plutôt à répandre son nom dans le public. C'est du reste le moment que Gide choisit pour publier son œuvre la plus complexe, la plus variée, la plus susceptible à ses yeux de l'imposer définitivement : *les Faux-Monnayeurs* (1926).

Dans le même temps, cédant à la passion du dénuement et du renouvellement, il vend successivement sa bibliothèque, sa maison d'Auteuil, son domaine de la Roque, et part pour l'Afrique noire. Il en rapporte une sorte de journal, intitulé *Voyage au Congo* (1927), où il dénonce les exactions du système colonial. Ouvrant brusquement sa pensée au social, cet individualiste invétéré va peu à peu s'acheminer vers le communisme. Dans *Œdipe* (1931), il exprime sa foi dans le progrès humain. Dans *les Nouvelles Nourritures* (1935), il n'appelle plus son disciple Nathanaël, mais « camarade ». Bientôt, passionnément désireux de voir la terre promise, il prend le train pour la Russie, en compagnie, notamment, de Louis Guilloux et d'Eugène Dabit. Parti frémissant d'espoir, il revient déçu et manifeste sa déconvenue dans *Retour de l'U. R. S. S.* (1936), plaquette qui atteint de très gros tirages et qui suscite de violentes polémiques.

Maintenant qu'il est devenu une personnalité dont le rayonnement dépasse celui d'un simple écrivain, il ne produit presque plus. Il se consacre à la publication de son *Journal*, dont la première édition complète date de 1939.

La Seconde Guerre mondiale le voit séjourner successivement sur la Côte d'Azur, en Tunisie et en Algérie. Dans son *Thésée* (1946), il livre le dernier mot de sa sagesse. En 1947, l'Académie royale de Suède lui décerne le prix Nobel de littérature. Ses dernières années sont occupées à de très nombreuses lectures, à la traduction du *Procès* de Kafka (1947), à la publication de sa *Correspondance* avec Francis Jammes (1948) et avec Paul Claudel (1950), à la confection d'une *Anthologie de la poésie française* (1949), enfin à une adaptation théâtrale des *Caves du Vatican*, jouée avec succès à la Comédie-Française et couronnant d'une sorte d'apothéose sa carrière littéraire.

Le 19 février 1951, il s'éteint à Paris, dans son appartement de la rue Vaneau. Peu après, son corps est transporté et inhumé à Cuverville, petit village de Normandie, où il possédait une propriété de famille. Trois jours avant de mourir, menacé d'aphasie, il avait encore dit : « J'ai peur que mes phrases ne deviennent grammaticalement inexactes. » Jusqu'au dernier souffle, il était resté *écrivain*.

***

La longévité littéraire d'André Gide s'étend sur une soixantaine d'années. Il n'est donc point étonnant qu'elle s'exprime en un catalogue richement fourni de titres de toute sorte. Pourtant, la production gidienne est *diverse* et *complexe*, plutôt que vaste. Sauf dans *les Faux-Monnayeurs*, elle a pris, presque toujours, la forme d'œuvres brèves, concises, comme si l'écrivain cherchait à exprimer le plus avec le moins de mots possible. Ce trait explique que Gide n'ait écrit qu'un roman, et jamais, comme tant de ses contemporains, de roman-fleuve. L'étalement de la matière lui parut toujours gonflage ou bourrage inutile. De ses maîtres symbolistes, il garda jusqu'à la fin une esthétique exigeante, visant surtout à la densité et à la profondeur, et, comme eux, préféra le plus souvent la plaquette au volume.

Autre trait essentiel : chez Gide, l'esprit critique occupa toujours une place de premier plan. Rien n'est plus loin de lui que la voracité boulimique qui faisait dire à Hugo : « J'aime tout comme une brute. » Au contraire, Gide avait l'amour et la science du choix. Ses goûts littéraires furent indiscutables, parfaits. Très éclectiques aussi : il traduisit Rabindranath Tagore, Joseph Conrad, et Shakespeare *(Hamlet)*; il fit beaucoup pour répandre Dostoïevsky en France; il préfaça *Vol de nuit* à l'époque où Saint-Exupéry était un inconnu; il eut assez de flair pour « découvrir » Henri Michaux[1]. Mais il fit mieux : il appliqua cet esprit critique à son propre talent, et de ses dons naturels tira la quintessence. Poète que paralysait la versification, il renonça très tôt à l'expression poétique. Moraliste-né, mais de faible puissance imaginative, il déjoua le piège d'une carrière de simple romancier Aussi reporta-t-il toutes ses forces du côté de l'œuvre de confession, pour laquelle il était fait, commençant par l'autobiographie *transposée*, qu'il pratiqua dans *l'Immoraliste* et *la Porte étroite*, puis, s'enhardissant à l'autobiographie *pure* dans *Si le grain ne meurt* et le *Journal*.

C'était là, en effet, que résidait le vrai domaine gidien : dans cette quête éperdue de soi-même. Gide a vécu en se regardant vivre. Peut-être même n'a-t-il vécu que pour se regarder vivre. Pour discerner ce qu'est l'homme à travers un homme, pour mettre à nu la condition humaine à travers une expérience humaine. De sa vie, il a fait une expérience, ou plutôt une série d'expériences, comme pour authentifier l'œuvre où il dirait ce qu'il aurait appris. Et dans l'expérimentation comme dans le témoignage il est allé jusqu'au bout. Sans crainte du scandale Parfois avec un certain cynisme. Qu'importait, si c'était le cynisme de la vérité? La jeunesse, elle-même assoiffée de vrai, ne s'y est pas trompée, quand,

1. Il est vrai qu'il n'avait pas soupçonné la valeur de l'œuvre de M. Proust, quand celui-ci proposa son manuscrit à la *N. R. F.*

pendant l'entre-deux-guerres, elle reconnut son maître préféré en celui qu'André Rouveyre appela, en 1927, le « contemporain capital ».

Il reste qu'il y a, dans l'individualisme gidien, quelque chose de forcené. On a même dit, parfois, de démoniaque. C'est ainsi que le fameux anathème : « Familles, je vous hais[1] ! » a pu être interprété comme une invite à la rupture des liens les plus sacrés. Mais cette rupture doit être conçue comme une *libération*, dont l'écrivain avait pu, à propos de sa propre éducation, expérimenter l'absolue nécessité. Excommunié sur sa droite, Gide fut également malmené sur sa gauche, où on lui reprocha son refus de tout engagement précis, sa volonté farouche de sauvegarder cette *disponibilité* dont il s'était fait un dogme dès *les Nourritures terrestres*. Mais, sur ce point encore, mieux vaut comprendre sa leçon que la condamner. Il a convié chacun à chercher sa vérité en soi-même, et par soi-même, au prix d'un effort loyal et constamment renouvelé. Et, pliant sa propre vie à ce principe, il n'a cessé de remettre tout et toujours en question. C'est pourquoi il a repoussé avec tant d'énergie les hommages officiels qui compromettent, les décorations qui rendent complice d'un régime. Il a dédaigné tous les fauteuils, même celui de l'Académie française, où le général de Gaulle rêvait de le faire asseoir au lendemain de la Libération. Jusqu'au bout, ce protestant a protesté. Contre tous les conformismes, contre toutes les Églises. Aussi son exemple demeure-t-il comme une écharde vivante au cœur des orthodoxies de tout genre, qui n'ont pas fini de pourchasser son ombre ricanante à travers les vicissitudes de la postérité.

1. *Les Nourritures terrestres.*

BIBLIOGRAPHIE

I. Principales œuvres d'André Gide.

Les Cahiers d'André Walter (Paris, Libr. académique Didier-Perrin, 1891).
Le Traité du Narcisse (Paris, Libr. de l'Art indépendant, 1891).
Les Poésies d'André Walter (Paris, Libr. de l'Art indépendant, 1892).
Le Voyage d'Urien (Paris, Libr. de l'Art indépendant, 1893).
La Tentative amoureuse (Paris, Libr. de l'Art indépendant. 1893).
Paludes (Paris, Libr. de l'Art indépendant, 1895).
Les Nourritures terrestres (Paris, Mercure de France, 1897).
Réflexions sur quelques points de littérature et de morale (Paris, Mercure de France, 1897).
Philoctète. El-Hadj (Paris, Mercure de France, 1899).
Le Prométhée mal enchaîné (Paris, Mercure de France, 1899).
Lettres à Angèle (Paris, Mercure de France, 1900).
Le Roi Candaule (Paris, Revue Blanche, 1901).
L'Immoraliste (Paris, Mercure de France, 1902).
Saül (Paris, Mercure de France, 1903).
Prétextes (Paris, Mercure de France, 1903).
Amyntas (Paris, Mercure de France, 1906).
Le Retour de l'enfant prodigue (Paris, Vers et Prose, 1907).
La Porte étroite (Paris, Mercure de France, 1909).
Oscar Wilde. In memoriam (Paris, Mercure de France, 1910).
Charles-Louis Philippe (Paris, Eugène Figuière, 1911).
Nouveaux Prétextes (Paris, Mercure de France, 1911).
Corydon (Bruges, Impr. Sainte-Catherine, 1911. — Édition publique à Paris, N. R. F., 1924)
Isabelle (Paris, N. R. F., 1911).
Bethsabé (Paris, Bibl. de l'Occident, 1912).
Souvenirs de la cour d'assises (Paris, N. R. F., 1914).
Les Caves du Vatican (Paris, N. R. F., 1914).
La Symphonie pastorale (Paris, N. R. F., 1919).
Si le grain ne meurt (Bruges, Impr. Sainte-Catherine, 1920-1921. — Édition courante : Paris, N. R. F., 1924-1926)
Numquid et tu? (Bruges, Impr. Sainte-Catherine. 1922).
Dostoïevsky (Paris, Plon-Nourrit, 1923)
Incidences (Paris, N. R. F., 1924).
Caractères (Paris, A l'enseigne de la Porte étroite, 1925).
Les Faux-Monnayeurs (Paris, N. R. F., 1926)[1]
Le Journal des Faux-Monnayeurs (Paris, Éd. Eos, 1926).
Dindiki (Liège, Éd. de la Lampe d'Aladin, 1927).
Voyage au Congo (Paris. N. R. F., 1927).

1. Bien que le copyright soit de 1925, l'ouvrage n'a été lancé qu'en février 1926.

Le Retour du Tchad (Paris, N. R. F., 1928).
L'École des femmes (Paris, N. R. F., 1929).
Essai sur Montaigne (Paris, Éd. de la Pléiade, 1929).
Robert (Paris, N. R. F., 1929).
Un esprit non prévenu... (Paris, Éd. du Sagittaire, 1929).
L'Affaire Redureau, suivie de *Faits divers* (Paris, N. R. F., 1930).
La Séquestrée de Poitiers (Paris, N. R. F., 1930).
Œdipe (Paris, Éd. de la Pléiade, 1931).
Divers (Paris, N. R. F., 1931).
Pages de Journal (1929-1932) [Paris, N. R. F., 1934].
Perséphone (Paris, N. R. F., 1934).
Les Nouvelles Nourritures (Paris, N. R. F., 1935).
Nouvelles Pages de Journal (1932-1935) [Paris, N. R. F., 1936].
Geneviève (Paris, N. R. F., 1936).
Retour de l'U. R. S. S. (Paris, N. R. F., 1936].
Retouches à mon Retour de l'U. R. S. S. (Paris, N. R. F., 1937).
Journal (1889-1939) [Paris, Éd. de la Pléiade, 1939].
Découvrons Henri Michaux (Paris, N. R. F., 1941).
Le Treizième Arbre (Paris, N. R. F., 1942).
Interviews imaginaires (Paris, N. R. F., 1943).
Souvenirs littéraires et Problèmes actuels (Beyrouth, Aux lettres françaises, 1946).
Pages de Journal (1939-1942) [Paris, N. R. F., 1946].
Thésée (Paris, N. R. F., 1946).
Le Retour (Neuchâtel et Paris, Aux ides et calendes, 1946).
Le Procès, pièce tirée du roman de Kafka (Paris, N. R. F., 1947).
Correspondance entre Francis Jammes et André Gide (1893-1938) [Paris, N. R. F., 1948].
Proserpine (Neuchâtel et Paris, Aux ides et calendes, 1948).
Préfaces (Neuchâtel et Paris, Aux ides et calendes, 1948).
Rencontres (Neuchâtel et Paris, Aux ides et calendes, 1948).
Les Caves du Vatican, farce extraite du roman (Paris, N. R. F., 1948).
Éloges (Neuchâtel et Paris, Aux ides et calendes, 1948).
Feuillets d'automne (Paris, Mercure de France, 1949).
Anthologie de la poésie française (Paris, la Pléiade, 1949).
Correspondance entre Paul Claudel et André Gide (1899-1926) [Paris, N. R. F., 1950].
Journal (1942-1949) [Paris, N. R. F., 1950].
Littérature engagée (Paris, N. R. F., 1950).
Et nunc manet in te (Neuchâtel et Paris, Aux ides et calendes, 1951).
Ainsi soit-il. Édition posthume (Paris, N. R. F. 1951).

Une *Bibliographie des écrits d'André Gide de 1891 à sa mort* a été publiée par Arnold NAVILLE (Paris, G. Le Prat, 1962).

II. Études sur André Gide.

Ramon Fernandez, *André Gide* (Paris, Corrêa, 1931).

Jean Hytier, *André Gide* (Paris, Charlot, 1938).

Paul Archambault, *Humanité d'André Gide* (Paris, Bloud et Gay, 1946).

Yvonne Davet, *Autour des « Nourritures terrestres ». Histoire d'un livre* (Paris, Gallimard, 1948).

R.-M. Albérès, *l'Odyssée d'André Gide* (Paris, la Nouvelle Édition, 1951).

Roger Martin du Gard, *Notes sur André Gide. 1913-1951* (Paris, Gallimard, 1951).

Nouvelle Revue Française, *Hommage à André Gide* (Paris, numéro spécial, novembre 1951).

Léon Pierre-Quint, *André Gide. L'homme, sa vie, son œuvre* (Paris, Stock, 1952).

Pierre Herbart, *A la recherche d'A. Gide* (Paris, Gallimard, 1952).

Pierre Lafille, *André Gide romancier* (Paris, Hachette, 1954).

Jacques Lévy, *« les Faux-Monnayeurs » d'André Gide et l'expérience religieuse* (Grenoble, Éd. des Cahiers de l'Alpe, 1954).

Marc Beigbeder, *André Gide* (Paris, Éd. universitaires, 1954).

Jean Delay, *la Jeunesse d'André Gide* (Paris, Gallimard, 1956-1957).

Jean Lambert, *Gide familier* (Paris, Julliard, 1958).

Gabriel Michaud, *Gide et l'Afrique* (Paris, Éd. du Scorpion, 1961).

Claude Martin, *Gide par lui-même* (Collection « Écrivains de toujours », Paris, Éd. du Seuil, 1962).

E.-U. Bertalot, *André Gide et l'attente de Dieu* (Paris, Minard, 1967).

Cécile Delorme, « Narcissisme et éducation dans l'œuvre romanesque d'André Gide », *Études Gidiennes* I (Paris, Minard, 1970).

LES FAUX-MONNAYEURS
1926

NOTICE

Ce qui se passait en 1926. — EN POLITIQUE. En France : *ministères Briand (9 mars et 23 juin) ; ministère Herriot (19 juillet), immédiatement renversé et remplacé par le ministère Poincaré (21 juillet). Chute du franc.*

Au Maroc : *reddition d'Abd el-Krim le 26 mai.*

En Angleterre : *ministère conservateur de Stanley Baldwin; grève des mineurs.* En Allemagne : *présidence du maréchal Hindenburg ; Stresemann, ministre des Affaires étrangères, fait admettre son pays à la S. D. N.* En Russie : *rivalité entre Staline et Trotsky, qui sera éliminé définitivement l'année suivante.* En Espagne : *dictature de Primo de Rivera.* En Italie : *dictature de Mussolini.* Aux U. S. A. : *présidence de Coolidge (républicain).*

EN LITTÉRATURE. Poésie : *Francis Jammes,* Ma France poétique; *Paul Eluard,* Capitale de la douleur; *Georges Chennevière,* Pamir; *Max Jacob,* les Pénitents en maillot rose.

Théâtre : *J.-V. Pellerin,* Têtes de rechange; *É. Bourdet,* la Prisonnière; *Ch. Méré,* le Lit nuptial; *H. Bernstein,* Félix; *Ch. Vildrac,* le Pèlerin; *M. Pagnol,* Jazz; *J. Romains,* le Dictateur.

Romans : *A. Gide,* les Faux-Monnayeurs; *J. Giraudoux,* Bella; *G. Bernanos,* Sous le soleil de Satan; *G. Duhamel,* la Pierre d'Horeb; *A. Maurois,* Bernard Quesnay; *H. de Montherlant,* les Bestiaires; *P. Morand,* Rien que la terre; *Aragon,* le Paysan de Paris.

Essais : *R. Rolland,* le Voyage intérieur; *P. Valéry,* Rhumbs; *G. Duhamel,* Lettres au Patagon; *E. Jaloux,* Figures étrangères; *J. Prévost,* Essai sur l'introspection.

EN PEINTURE. *Ouverture de la* Galerie surréaliste *à Paris ; Paul Klee, première exposition particulière à Paris ; M. Chagall, première exposition privée à New York ; R. Dufy, exposition chez Bernheim, décors pour le ballet* Palm Beach; *Zervos fonde les* Cahiers d'art; *mort de Cl. Monet.*

EN MUSIQUE. *A. Honegger,* le Cantique des cantiques; *I. Stravinsky,* Œdipus rex; *J. Ibert,* Angélique; *M. Ravel,* Chansons madécasses.

Une gestation laborieuse. — Publiés en 1926, à la N. R. F., *les Faux-Monnayeurs* avaient coûté six années de travail à leur auteur : commencés le 17 juin 1919, ils n'avaient été achevés que le 8 juin 1925. L'histoire de cette laborieuse gestation se trouve contée dans *le Journal des Faux-Monnayeurs*, que l'écrivain avait tenu pendant qu'il travaillait à son roman et qu'il publia la même année

La première, et peut-être la pire des difficultés que Gide ait rencontrées, c'est qu'il ne savait pas exactement ce qu'il allait faire entrer dans son œuvre au moment où il l'entreprenait. Délibérément, il refusait d'imposer sa propre volonté au roman. Il entendait lui accorder une sorte d'indépendance, permettre aux personnages d'agir et d'évoluer librement, sans l'intervention toute-puissante du romancier. Procédé non dépourvu de risques, ainsi qu'il le constate lui-même : « Par instants, écrit-il en août 1921, je me persuade que l'idée même de ce livre est absurde, et j'en viens à ne plus comprendre du tout ce que je veux. » L'œuvre lui échappe, et il la laisse, au moins partiellement, se former toute seule.

Mais cette formation est lente, et vérifie que le génie est, effectivement, « une longue patience ». L'écrivain attend donc, acceptant de « naviguer durant des jours et des jours sans aucune terre en vue », sachant bien que « l'important, c'est de ne pas désespérer ». Et, pour fournir une nourriture à son inspiration, il réunit quelques faits divers, qu'il utilisera plus tard, tel l'épisode du lycéen surpris, le 4 mai 1921, à subtiliser un vieux guide de l'Algérie dans une boutique des quais.

A force de préparer les voies de l'incubation, ou, comme il dit, de « baratter », André Gide finit par rédiger les premières pages de son ouvrage : au début de décembre 1921, il en a composé trente, qu'il soumet au jugement de Roger Martin du Gard (c'est à l'auteur des *Thibault* qu'en témoignage d'admiration et d'amitié seront dédiés *les Faux-Monnayeurs*). Mais cet élan créateur s'interrompt bientôt, et ce n'est que le 8 octobre de l'année suivante que le roman est repris. Gide en récrit les trente pages initiales et les lit, le 2 janvier 1923, chez le critique Charles Du Bos. Encouragé par l' « impression excellente » qu'ont emportée ses auditeurs, il progresse rapidement pendant l'été et l'automne 1923, et, à l'issue d'une visite de Jacques Rivière, faite le 27 décembre, il peut noter : « Je lui ai lu les dix-sept premiers chapitres des *Faux-Monnayeurs*. » Il ajoute, il est vrai : « Les chapitres I et II sont à refaire. » Néanmoins, l'impulsion définitive est désormais donnée, et, le 6 janvier 1924, il observe, non sans satisfaction : « Le livre, maintenant, semble doué de vie propre; on dirait une plante qui se développe, et le cerveau n'est plus que le vase plein de terreau qui l'alimente et la contient. »

Plein de son sujet, et quasi certain de le mener à bien, l'auteur n'est pourtant pas au bout de ses peines. Le 1er novembre 1924, il fait une amère constatation : « Je viens d'écrire le chapitre X de la seconde partie (le faux suicide d'Olivier) et ne vois plus devant moi qu'un embrouillement terrible, un taillis tellement épais que je ne sais à quelle branche m'attaquer d'abord. » Aussi remet-il au mois de juillet de l'année suivante son départ pour le Congo, primitivement fixé au 6 novembre. Et il poursuit son travail, mais à grand-peine, ahannant à la Flaubert pour mettre sur pied quelques pages : « Je m'enferme avec *les Faux-Monnayeurs*, consigne-t-il le 8 décembre dans son *Journal*, et passe un temps énorme à limer et à nettoyer la visite de Douviers à Édouard. » En mars 1925, même son de cloche : « Une des particularités de ce livre [...], c'est cette excessive difficulté que j'éprouve en face de chaque nouveau chapitre — difficulté presque égale à celle qui me retenait au seuil du livre et qui m'a forcé à piétiner si longuement. Oui, vraiment, il m'est arrivé, des jours durant, de douter si je pourrais remettre la machine en marche. »

En mai, Gide travaille toujours : « Mise au net, et dactylographie de cinq chapitres des *Faux-Monnayeurs*. Morne pensum, mais qui convient à mon apathie. » Il lui faut attendre quelques semaines (et encore après avoir brusqué et raccourci le dénouement) pour pouvoir pousser le cri de victoire ou, plutôt, de soulagement : « 8 juin 1925. Achevé *les Faux-Monnayeurs*. »

Du « roman-théorème » au « roman-somme ». — Dans sa jeunesse, André Gide avait ressenti peu de goût pour la création romanesque : « Mes principes esthétiques s'opposent à concevoir un roman, » écrivait-il dans *Paludes*, en 1895. Plutôt enclin à l'analyse morale, à l'effusion lyrique, ou encore à l'ironie, voire à la parodie, écœuré en outre par la platitude et la vulgarité de la production naturaliste, il s'était contenté d'œuvres un peu linéaires et dépouillées, telles que *l'Immoraliste* (1902), *la Porte étroite* (1909), *Isabelle* (1911), qu'il avait d'ailleurs appelées des *récits*, ou de livres mêlés de fantastique et de saugrenu, comme *le Prométhée mal enchaîné* (1899) et *les Caves du Vatican* (1914), qu'il avait baptisés du nom médiéval de *soties*. Il réservait le terme plus ambitieux de *roman* pour un ouvrage de plus vastes dimensions, capable d'asseoir sa réputation d'écrivain. Cet ouvrage, ce devait être *les Faux-Monnayeurs*.

Les problèmes d'esthétique romanesque avaient pourtant requis très tôt son attention. Dès les *Cahiers d'André Walter* (1891), il avait imaginé un *roman-théorème* répondant à un idéal d'art aussi décharné que possible : « Réduire tout à l'essentiel, notait-il [...] Le personnel simplifié jusqu'à un seul [...] Plus de pittoresque, et le décor indifférent; n'importe quand et n'importe où; hors du temps et de l'espace. » L'action se déroulerait dans « le cerveau de l'écrivain », « champ clos où s'affronteraient « deux entités : l'âme et la chair ». Roman symbolique, en somme, sinon symboliste, dégagé des contingences extérieures n'exprimant guère que le drame tout personnel de l'auteur, et qu'une œuvre comme *la Porte étroite* réalisait assez parfaitement.

Mais poussé par le goût de se contredire soi-même, enrichi peu à peu d'une expérience plus étendue, anxieux aussi de donner une mesure plus complète de son talent, André Gide fut conduit, dans la suite, à juger assez sévèrement son idéal de jeunesse. « Les livres que j'ai écrits jusqu'à présent, regrette Édouard dans *les Faux-Monnayeurs*, me paraissent comparables à ces bassins de jardins publics d'un contour précis, parfait peut-être, où l'eau captive est sans vie. A présent, je la veux laisser couler, selon sa pente, tantôt rapide et tantôt lente, en des lacis que je refuse à prévoir. » Ainsi, plus de « champ clos », mais une œuvre aussi ouverte, aussi disponible que possible, une *somme* où Gide rêve de grouper tout ce que lui « présente » et lui « enseigne la vie ». Les personnages[1] y foisonneront. Les thèmes[2] s'y multiplieront. L'auteur, se fixant pour loi de « ne jamais profiter de l'élan acquis », y repartira « à neuf » pour chaque chapitre; le roman ira « à l'aventure », n'aura ni commencement ni fin, comme dans la réalité, où « il n'est d'aboutissement qui ne puisse être considéré comme un nouveau point de départ »; plutôt que de l'amener à « se boucler » sur un dénouement factice, l'écrivain le laissera « s'éparpiller, se défaire ». Toutes ces revendications s'épanouiront dans la formule célèbre : « Pourrait être continué : c'est sur ces mots que je voudrais terminer mes *Faux-Monnayeurs.* »

Par là, Gide introduit dans le roman une innovation capitale : la notion de durée, ou plutôt de *devenir*. De perpétuel devenir. La vie n'est plus saisie dans sa fixité, mais suivie dans son mouvement même. Lorsqu'il en a fini avec Bernard, rentré au bercail et désormais immobilisé dans le confort familial, l'écrivain est tout prêt à dérouler à nouveau le fil du récit, à réenchaîner avec le frère cadet de l'ex-prodigue : « Je suis bien curieux de connaître Caloub », déclare-t-il. Et il lui serait facile de poursuivre sa marche en avant. Mais il la brise net, comme il brise sans cesse la progression de l'intrigue, constamment enchevêtrée d'actions secondaires, semée de réflexions, coupée d'arrêts, voire de retours en arrière, compliquée surtout par cette composition « en abyme », qui fait de l'un des personnages, Édouard, un romancier écrivant un roman sur le même sujet que l'auteur. Structure, ou absence de structure, dont Gide se justifie par l'argument suivant : « La vie nous présente de toutes parts quantité d'amorces de drames, mais il est rare que ceux-ci se poursuivent et se dessinent comme a coutume de les filer un romancier. » — Ainsi, tout en étant « une somme », le roman devra se garder d'assommer le lecteur par son poids ou son volume. Il ne sera peut-être pas dépourvu d'*étrangeté.* Mais d'une « étrangeté » volontaire, qui arrachera le public à son habituelle passivité en proposant à son attention « un carrefour, un rendez-vous de problèmes ».

1. Il y en a une quarantaine dans *les Faux-Monnayeurs ;* **2.** Jacques Lévy a pu en dénombrer *cinquante et un !*

Poésie et réalité. — Gide a toujours été un être de dédoublement, sinon de duplicité. Il n'est donc pas étonnant qu'il ait voulu donner au livre qu'il considérait comme « son meilleur ouvrage » un titre à double entente et un sujet à double fond. Le titre du roman demande, en effet, à être interprété d'une façon à la fois littérale et symbolique : *les Faux-Monnayeurs* forment effectivement une bande qui se livre au trafic de la fausse monnaie; mais ce sont aussi (et surtout) ceux qui, sous couvert de beaux sentiments, pratiquent l'hypocrisie et la complaisance à soi-même. De la même manière, le sujet est double, ainsi que l'auteur a pris soin de le faire observer : « Il n'y a pas, à proprement parler, un seul centre à ce livre, autour de quoi viennent converger mes efforts; c'est autour de deux foyers, à la manière des ellipses, que ces efforts se polarisent. D'une part, l'événement, le fait, la donnée extérieure; d'autre part, l'effort même du romancier pour faire un livre avec cela. Et c'est là le sujet principal, le centre nouveau qui désaxe le récit et l'oriente vers l'imaginatif. » Autrement dit, l'anecdote relative au trafic de la fausse monnaie sera la matière apparente, mais secondaire de l'ouvrage : le sujet profond, ce sera l'histoire même de l'élaboration de l'œuvre, le *roman du roman.*

Non point qu'André Gide ait négligé la part du réel dans son livre. Il a collectionné des « découpures de journaux ayant trait à l'affaire des *Faux-Monnayeurs* (septembre 1906) » et « à la sinistre histoire des suicides d'écoliers de Clermont-Ferrand (5 juin 1909) ». Il a tenté de pratiquer « le système de notes et de fiches » que lui « préconise » Roger Martin du Gard. Il y a plus : rédigeant, en même temps que son roman, les mémoires intitulés *Si le grain ne meurt* (1926), il a souvent transposé ses propres souvenirs d'enfance dans l'œuvre de fiction. Il est le premier à le reconnaître : « La Pérouse a été inspiré, et jusque dans son suicide manqué, par un vieux professeur de piano[1], dont je parle longuement dans *Si le grain ne meurt*, où je parle également d'Armand B...[2], qui me servit lointainement de modèle pour l'Armand des *Faux-Monnayeurs.* » Rapprochement plus frappant encore, souligné avec beaucoup de justesse par le Dr Jean Delay[3] : les mauvais traitements qui, à la fin du roman, conduisent le petit Boris au suicide offrent une étrange analogie avec la persécution dont fut victime André Gide lui-même quand, élève au lycée de Montpellier, il était « moqué, rossé, traqué[4] » par une « bande[4] » de galopins, où il faut voir le premier modèle de la « Confrérie des Hommes Forts ». Pas plus dans cet ouvrage que dans aucun autre du catalogue gidien l'élément autobiographique n'est absent.

Pourtant, cet appui sur le vécu, sur le réel, semble avoir souvent gêné l'écrivain. Gêne confessée, du reste, avec franchise : « Si j'ai raté le portrait du vieux La Pérouse, déplore-t-il, ce fut pour

1. Marc de la Nux; 2. Armand Baverel; 3. *La Jeunesse d'André Gide* (Gallimard); 4. *Si le grain ne meurt.*

l'avoir trop rapproché de la réalité; je n'ai pas su, pas pu perdre de vue mon modèle [...] Le difficile, c'est d'inventer, là où le souvenir vous retient. » En revanche, il affirme : « Les meilleures parts de mon livre sont celles d'*invention pure.* » Aussi rien n'est-il plus loin de l'art réaliste que l'art gidien. Dès qu'il lui faut « conditionner ses personnages », c'est-à-dire « les vêtir, fixer leur rang de l'échelle sociale, leur carrière, le chiffre de leurs revenus [...], leur inventer des parents, une famille, des amis », le romancier capitule, « plie boutique ». Il n'est pas jusqu'aux jardins du Luxembourg qu'il ne veuille transformer en « un lieu aussi mythique que la forêt des Ardennes dans les féeries de Shakespeare » et dont il n'exprime son intention de faire une « description poétique ».

Cette fois, le mot capital est lâché. Le disciple des symbolistes, celui qui, dans sa jeunesse, s'écriait : « C'est poète que je veux être! C'est poète que je suis! », traite, en effet, le roman en « poète ». Non pas qu'il cherche refuge dans le rêve, à la façon d'un Alain-Fournier dans *le Grand Meaulnes*. Au contraire, il plonge en pleine réalité. Mais en un réel créé, ou plutôt recréé dans et par son esprit. Et c'est cet effort de *re-création* qui, au fond, l'intéresse. C'est pourquoi il choisit comme figure centrale du roman le romancier lui-même, celui dont la vision, comme un miroir, reflète et transmue la réalité extérieure. C'est pourquoi le vrai sujet du roman, c'est la lutte incessante qui oppose ce que la réalité offre au romancier et « ce que, lui, prétend en faire »; c'est-à-dire, en somme, le jeu et le drame de la création littéraire. Un drame d'artiste aux prises avec un problème d'esthétique pure. Presque un drame de métier. Celui que Gœthe avait résumé en une antinomie célèbre : *Poésie et Réalité (Dichtung und Wahrheit)*

Le message moral. — L'esthète s'est toujours doublé, chez Gide, d'un *moraliste*. Et d'un moraliste non pas seulement au sens classique du mot, de celui qui étudie le cœur humain. Mais également au sens moderne, de celui qui cherche et préconise une règle de morale. Aussi, comme presque toutes les œuvres de Gide, *les Faux-Monnayeurs* renferment-ils une leçon plus ou moins cachée. Et l'on a déjà vu que le titre, sous une apparence assez anodine, contient une satire acerbe dirigée contre ceux, comme il est dit dans *Tartuffe*, qui veulent faire passer « la fausse monnaie à l'égal de la bonne ».

Ces faussaires, l'œil pénétrant de Gide en distingue partout dans l'immense comédie humaine. Dans la vie familiale, sociale, religieuse, littéraire. Voici, par exemple, le magistrat Molinier qui, sous les allures d'un mari parfait, entretient depuis de nombreuses années une liaison avec une danseuse de l'Olympia. Mais le plus scandaleux, c'est sa façon de faire retomber sur l'excessive honnêteté de sa femme la « responsabilité de ses faillites » : « Quand nous sommes jeunes, soupire-t-il, nous souhaitons de chastes épouses, sans savoir ce que nous coûtera leur vertu. » Les jeunes gens, qu'on pourrait croire moins corrompus par l'existence que les adultes, ne peuvent s'empêcher de « jouer un personnage » sitôt qu'ils sont entre eux et ont vite fait de perdre « tout naturel ». Olivier lui-même, le jour où Bernard passe son bachot, se retient mal de chercher à éblouir son ami et lui lance à la tête un mot qui n'est pas de lui (« Ce qu'il y a de plus profond dans l'homme, c'est la peau »), mais qu'il a entendu dans la bouche de Passavant, lequel, à son tour, démarque une maxime de « Paul-Ambroise » — entendez Valéry. La dévotion, elle, fait perdre « le sens, le goût, le besoin, l'amour de la réalité ». A preuve, le pasteur Vedel, que son fils présente sous ce jour peu flatteur : « Il s'en remet au Seigneur, c'est plus commode. A chaque difficulté, il laisse Rachel se débrouiller. Tout ce qu'il demande, c'est de ne pas y voir clair. » Quant aux littérateurs, ils ne songent qu'à la parade et au succès. Sous couleur d'être à « l'avant-garde », ils montent des revues tapageuses, ou se déguisent en « Gugusses d'hippodrome » pour se livrer à des facéties dénuées de sens. Le comte de Passavant, qui les incarne à la perfection, n'est qu'un « faiseur », qui dirige habilement sa publicité personnelle et « incline l'opinion au lieu de l'éclairer ». Conclusion : « la vie », selon l'expression de l'un des personnages, « n'est qu'une comédie ». Le romancier, nouveau démiurge, se met à la place de Dieu (ou de Satan), et tire les ficelles du guignol...

Avouons qu'il ne les tire pas sans malice. Adrienne Monnier a pu même lui reprocher d'y apporter de la « méchanceté ». Mais c'est mal comprendre son message. Gide a toujours protesté contre les hypocrites, contre les « bonnes raisons » qu'ils se donnent, contre cette « épaisseur de mensonge » derrière laquelle ils se cachent. C'est un des motifs qui l'ont poussé à accorder une place de premier plan, dans son roman, à l'*adolescence*, c'est-à-dire à l'âge où l'on refuse avec le plus de force les conformismes, les idées toutes faites, les préjugés. C'est pourquoi aussi du plus sympathique de ses héros, Bernard, il a fait un « bâtard », un « fils prodigue » instinctivement en lutte contre la famille et la société, et opposant à l'hypocrisie universelle une révolte à base de naturel et de sincérité. Antidote des « faux-monnayeurs », Bernard exprime l'idéal moral de l'écrivain : « Je voudrais rendre, tout au long de ma vie, au moindre choc, un son pur, probe, authentique. Presque tous les gens que j'ai connus sonnent faux. Valoir exactement ce qu'on est ; ne pas chercher à paraître plus qu'on ne vaut. »

On dira peut-être qu'à la fin du roman Bernard renonce. Et que, par là, il inflige une sorte de démenti à sa vocation de révolte et d'authenticité. Du moins aura-t-il *osé* et *cherché*, avant de se ranger. Ainsi aura-t-il répondu à son vœu profond, qui est le vœu même d'André Gide. « Je voudrais écrire l'histoire de quelqu'un, confesse-t-il à Laura, qui, après avoir éprouvé que les opinions des uns et des autres sur chaque point se contredisent, prendrait le parti de n'écouter plus que lui, et, du coup, deviendrait très fort. » Autrement dit, l'homme doit *choisir* et *se choisir*, au lieu de laisser les autres choisir, et le choisir, à sa place. C'est la morale du choix personnel (un choix sans cesse remis en question) qui se profile ici, bien avant que Sartre ne s'en fasse l'apôtre. Déjà *les Nourritures terrestres* se terminaient sur l'appel fameux : « Nathanaël, à présent, jette mon livre [...] Dis-toi bien que ce n'est là qu'*une* des mille postures possibles en face de la vie. Cherche la tienne. » La même revendication, trente ans plus tard, reparaît dans le conseil qu'Édouard donne à Bernard, et, à travers ses personnages, Gide à chacun de ses lecteurs : « Vous ne pouvez trouver conseil *qu'en vous-même* ni apprendre comme vous devez vivre *qu'en vivant.* »

Un maître ouvrage. — Œuvre d'un maître, *les Faux-Monnayeurs* ne peuvent pourtant être considérés comme un chef-d'œuvre au sens strict du mot : il leur manque d'être achevés, de décrire la boucle parfaite chère à l'auteur-acrobate, tant moqué par Gide, qui retombe sur ses pieds après avoir trop bien calculé son élan. Au contraire, ils donnent l'impression d'un livre avorté, où l'écrivain, après avoir abordé mille sujets, refuse d'en conduire aucun à son terme et s'échappe sur une pirouette en laissant le lecteur insatisfait et impatienté. L'intrigue, follement compliquée par endroits, est, à d'autres, menée avec une désinvolture confondante : témoin l'incroyable concours de circonstances qui permet à Bernard d'entrer en possession successivement de la valise, du portefeuille et du *Journal* d'Édouard. Ces invraisemblances, alternant par ailleurs avec un art prodigieux des préparations, ne peuvent être mises sur le compte de la maladresse de l'auteur et ajoutent à l'impression que celui-ci se moque de son public, qu'il lui tend des pièges. Avec une science consommée, diabolique, dont le romancier ne se cache même pas puisqu'il souhaite provoquer « la majeure irritation du lecteur » et qu'ailleurs il confesse : « Mon livre achevé, je tire la barre et laisse au lecteur le soin de l'opération; addition, soustraction, peu importe; j'estime que ce n'est pas à moi de la faire. Tant pis pour le lecteur paresseux : j'en veux d'autres. *Inquiéter*, tel est mon rôle. » On comprend que l'ouvrage n'ait obtenu, à son apparition, qu'un succès d'estime et qu'une partie de la critique ait formulé plus que des réserves. Livre de dilettante raffiné, pouvait-on croire, s'adressant à un cercle restreint de *happy few*.

Pourtant, qui ne saurait gré à Gide d'avoir, par tous les moyens, tenté de s'écarter des sentiers battus? D'avoir refusé le récit à deux dimensions de l'anecdote pure, retranchée de son contexte historique et social, aussi bien que la reconstitution laborieuse de toute une époque dans un nouveau roman fleuve? L'auteur, ici, a su traduire la vie, *toute la vie* (du moins, telle qu'elle lui apparaissait), en évitant la sécheresse de la nouvelle et le gonflement artificiel de l'ouvrage à tiroirs ou à épisodes. Et puis, il y est parvenu grâce à une *innovation technique* d'une originalité peu contestable : par une série de découpages qui relancent sans cesse l'intérêt de l'action, et en traitant le temps non plus comme une donnée irréversible, comme un fleuve dont on descend docilement le cours, mais comme un flot bouillonnant, où le romancier remonte de l'effet à la cause, du présent au passé. Certain littérateur d'Outre-Manche, Aldous Huxley, dans un livre au titre singulièrement gidien, *Contrepoint*, fera plus que se souvenir de l'exemple venu de France...

Enfin et surtout, en dépit de son étrangeté technique, le livre est plein de ces qualités maîtresses qui distinguent le vrai romancier et le grand écrivain. La puissance de certaines évocations est indiscutable. Telle cette peinture de la chapelle protestante où a lieu le mariage de Douviers et de Laura : « Il me semblait que je voyais pour la première fois ces murs nus, l'abstraite et blafarde lumière où baignait l'auditoire, le détachement cruel de la chaire sur le mur blanc du fond, la rectitude des lignes, la rigidité des colonnes qui soutiennent les tribunes, l'esprit même de cette architecture anguleuse et décolorée dont m'apparaissaient pour la première fois la disgrâce rébarbative, l'intransigeance et la parcimonie. » Les notations sur la foule qui se presse à la cérémonie ne sont pas d'une ironie moins savoureuse : « Odeur puritaine très spéciale [...] Si les juifs ont le nez trop long, les protestants, eux, ont le nez bouché [...] Je ne sais quoi d'ineffablement alpestre, paradisiaque et niais. »

Mais le fouet de la satire n'est pas seul à claquer ici. L'amour du risque et de l'émancipation inspire à Gide les personnages audacieux de Bernard et de Sarah. Le sens du dévouement lui fait imaginer les touchantes figures de Pauline et de Rachel, incarnations de l'esprit de sacrifice. Un mélange de compassion et de curiosité intellectuelle le conduit à étudier, dans le vieux couple La Pérouse, le phénomène antistendhalien de la « décristallisation » en amour.

Quant à l'expression, malgré la résolution de l'écrivain de s'en tenir au style le plus neutre, « à la manière la plus plate », elle abonde en formules heureuses. Les unes valent par la cocasserie d'un rapprochement : « Les préjugés sont les pilotis de la civilisation. » Les autres, par leur profondeur désabusée : « C'est quand une femme se montre résignée qu'elle paraît la plus raisonnable. » Certaines même, dépassant la simple maxime, enferment un appel et un enseignement : « Il est bon de suivre sa pente, pourvu que ce soit *en montant*. »

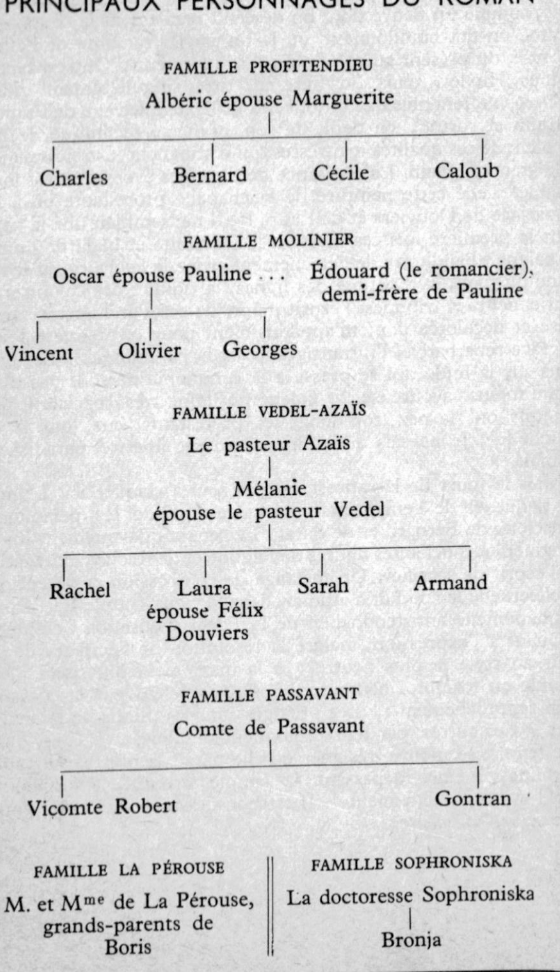
PRINCIPAUX PERSONNAGES DU ROMAN
FAMILLE PROFITENDIEU
Albéric épouse Marguerite
Charles
Bernard
Cécile
Caloub
FAMILLE MOLINIER
Oscar épouse Pauline . . .
Édouard (le romancier), demi-frère de Pauline
Vincent
Olivier
Georges
FAMILLE VEDEL-AZAÏS
Le pasteur Azaïs
Mélanie
épouse le pasteur Vedel
Rachel
Laura épouse Félix Douviers
Sarah
Armand
FAMILLE PASSAVANT
Comte de Passavant
Vicomte Robert
Gontran
FAMILLE LA PÉROUSE
M. et Mme de La Pérouse, grands-parents de Boris
FAMILLE SOPHRONISKA
La doctoresse Sophroniska
Bronja

LES FAUX-MONNAYEURS

PREMIÈRE PARTIE

PARIS

I

« C'est le moment de croire que j'entends des pas dans le corridor », se dit Bernard.

Il releva la tête et prêta l'oreille. Mais non : son père et son frère aîné étaient retenus au Palais; sa mère en visite; sa sœur à un concert; et quant au puîné, le petit Caloub, une pension le bouclait au sortir du lycée chaque jour. Bernard Profitendieu était resté à la maison pour potasser son bachot; il n'avait plus devant lui que trois semaines. La famille respectait sa solitude; le démon pas. Bien que Bernard eût mis bas sa veste, il étouffait. Par la fenêtre ouverte sur la rue n'entrait rien que de la chaleur. Son front ruisselait. Une goutte de sueur coula le long de son nez, et s'en alla tomber sur une lettre qu'il tenait en main :

« Ça joue la larme, pensa-t-il. Mais mieux vaut suer que de pleurer. »

Oui, la date était péremptoire. Pas moyen de douter : c'est bien de lui, Bernard, qu'il s'agissait. La lettre était adressée à sa mère; une lettre d'amour vieille de dix-sept ans; non signée.

« Que signifie cette initiale? un V, qui peut aussi bien être un N... Sied-il d'interroger ma mère?... Faisons crédit à son bon goût. Libre à moi d'imaginer que c'est un prince. La belle avance si j'apprends que je suis le fils d'un croquant! Ne pas savoir qui est son père, c'est ça qui guérit de la peur de lui ressembler. Toute recherche oblige. Ne retenons de ceci que la délivrance. N'approfondissons pas. Aussi bien j'en ai mon suffisant pour aujourd'hui. »

Bernard replia la lettre. Elle était de même format que les douze autres du paquet. Une faveur rose les attachait, qu'il n'avait pas eu à dénouer; qu'il refit glisser pour ceinturer comme auparavant la liasse. Il remit la liasse dans le coffret et le coffret dans le tiroir de la console. Le tiroir n'était pas ouvert; il avait livré son secret par en haut. Bernard assujettit les lames disjointes du plafond de bois, que devait recouvrir une lourde plaque d'onyx. Il fit doucement, précautionneusement, retomber celle-ci, replaça par-dessus deux candélabres de cristal et l'encombrante pendule qu'il venait de s'amuser à réparer (**1**).

La pendule sonna quatre coups. Il l'avait remise à l'heure.

« Monsieur le juge d'instruction et Monsieur l'avocat son fils ne seront pas de retour avant six heures. J'ai le temps. Il faut que Monsieur le juge, en rentrant, trouve sur son bureau la belle lettre où je m'en vais lui signifier mon départ. Mais avant de l'écrire, je sens un immense besoin d'aérer un peu mes pensées — et d'aller retrouver mon cher Olivier, pour m'assurer, provisoirement du moins, d'un perchoir[1]. Olivier, mon ami, le temps est venu pour moi de mettre ta complaisance à l'épreuve et pour toi de me montrer ce que tu vaux. Ce qu'il y avait de beau dans notre amitié, c'est que, jusqu'à présent, nous ne nous étions jamais servis l'un de l'autre. Bah! un service amusant à rendre ne saurait être ennuyeux à demander. Le gênant, c'est qu'Olivier ne sera pas seul. Tant pis; je saurai le prendre à part. Je veux l'épouvanter par mon calme. C'est dans l'extraordinaire que je me sens le plus naturel (**2**). »

La rue de T...[2], où Bernard Profitendieu avait vécu jusqu'à ce jour, est toute proche du jardin du Luxembourg. Là, près de la fontaine Médicis[3], dans cette allée qui la domine, avaient coutume de se retrouver, chaque mercredi entre quatre et six, quelques-uns de ses camarades. On causait art, philosophie, sports, politique et littérature. Bernard avait marché très vite; mais en passant la grille du jardin il aperçut Olivier Molinier et ralentit aussitôt son allure.

L'assemblée ce jour-là était plus nombreuse que de coutume, sans doute à cause du beau temps. Quelques-uns s'y étaient adjoints que Bernard ne connaissait pas encore.

1. Mot plaisant pour désigner un *abri*, un *asile*, un *toit ;* **2.** *Rue de Tournon*, près du Luxembourg, quartier qu'a habité A. Gide dans son enfance; **3.** Fontaine construite dans les jardins du Luxembourg, sur l'ordre de Marie de Médicis, par J. Debrosse.

Chacun de ces jeunes gens, sitôt qu'il était devant les autres, jouait un personnage et perdait presque tout naturel.

Olivier rougit en voyant approcher Bernard et, quittant assez brusquement une jeune femme avec laquelle il causait, s'éloigna. Bernard était son ami le plus intime, aussi Olivier prenait-il grand soin de ne paraître point le rechercher; il feignait même parfois de ne pas le voir.

Avant de le rejoindre, Bernard devait affronter plusieurs groupes, et, comme lui de même affectait de ne pas rechercher Olivier, il s'attardait.

Quatre de ses camarades entouraient un petit barbu à pince-nez sensiblement plus âgé qu'eux, qui tenait un livre. C'était Dhurmer.

« Qu'est-ce que tu veux, disait-il en s'adressant plus particulièrement à l'un des autres, mais manifestement heureux d'être écouté par tous. J'ai poussé jusqu'à la page trente sans trouver une seule couleur, un seul mot qui peigne. Il parle d'une femme; je ne sais même pas si sa robe était rouge ou bleue. Moi, quand il n'y a pas de couleurs, c'est bien simple, je ne vois rien (**3**). » Et par besoin d'exagérer, d'autant plus qu'il se sentait moins pris au sérieux, il insistait : « Absolument rien. »

Bernard n'écoutait plus le discoureur; il jugeait malséant de s'écarter trop vite, mais déjà prêtait l'oreille à d'autres qui se querellaient derrière lui et qu'Olivier avait rejoints après avoir laissé la jeune femme; l'un de ceux-ci, assis sur un banc, lisait *l'Action française*[1]. Combien Olivier Molinier, parmi tous ceux-ci, paraît grave! Il est l'un des plus jeunes pourtant. Son visage presque enfantin encore et son regard révèlent la précocité de sa pensée. Il rougit facilement. Il est tendre. Il a beau se montrer affable envers tous, je ne sais quelle secrète réserve, quelle pudeur, tient ses camarades à distance. Il souffre de cela. Sans Bernard, il en souffrirait davantage.

Molinier s'était un instant prêté, comme fait Bernard à présent, à chacun des groupes; par complaisance, mais rien de ce qu'il entend ne l'intéresse.

Il se penchait par-dessus l'épaule du lecteur. Bernard, sans se retourner, l'entendait dire :

« Tu as tort de lire les journaux; ça te congestionne. »

1. *L'Action française* : journal monarchiste, fondé en 1908.

Et l'autre repartir d'une voix aigre :

« Toi, dès qu'on parle de Maurras[1], tu verdis. »

Puis un troisième, sur un ton goguenard, demander :

« Ça t'amuse, les articles de Maurras ? »

Et le premier répondre :

« Ça m'emmerde; mais je trouve qu'il a raison. »

Puis un quatrième, dont Bernard ne reconnaissait pas la voix :

« Toi, tout ce qui ne t'embête pas, tu crois que ça manque de profondeur. »

Le premier ripostait :

« Si tu crois qu'il suffit d'être bête pour être rigolo !

« Viens, » dit à voix basse Bernard, en saisissant brusquement Olivier par le bras. Il l'entraîna quelques pas plus loin :

« Réponds vite; je suis pressé. Tu m'as bien dit que tu ne couchais pas au même étage que tes parents ?

— Je t'ai montré la porte de ma chambre; elle donne droit sur l'escalier, un demi-étage avant d'arriver chez nous.

— Tu m'as dit que ton frère couchait là aussi ?

— Georges, oui.

— Vous êtes seuls tous les deux ?

— Oui.

— Le petit sait se taire ?

— S'il le faut. Pourquoi ?

— Écoute. J'ai quitté la maison; ou du moins je vais la quitter ce soir. Je ne sais pas encore où j'irai. Pour une nuit, peux-tu me recevoir ? »

Olivier devint très pâle (**4**). Son émotion était si vive qu'il ne pouvait regarder Bernard.

« Oui, dit-il; mais ne viens pas avant onze heures. Maman descend nous dire adieu chaque soir, et fermer notre porte à clef.

— Mais alors... »

Olivier sourit :

« J'ai une autre clef. Tu frapperas doucement pour ne pas réveiller Georges s'il dort.

— Le concierge me laissera passer ?

— Je l'avertirai. Oh ! je suis très bien avec lui. C'est lui qui m'a donné l'autre clef. A tantôt. »

Ils se quittèrent sans se serrer la main. Et tandis que

1. *Charles Maurras* (1868-1952) : célèbre théoricien du nationalisme et du monarchisme. Il écrivait quotidiennement dans *l'Action française*.

Bernard s'éloignait, méditant la lettre qu'il voulait écrire et que le magistrat devait trouver en rentrant, Olivier, qui ne voulait pas qu'on ne le vît s'isoler qu'avec Bernard, alla retrouver Lucien Bercail que les autres laissent un peu à l'écart. Olivier l'aimerait beaucoup s'il ne lui préférait Bernard. Autant Bernard est entreprenant, autant Lucien est timide. On le sent faible; il semble n'exister que par le cœur et par l'esprit. Il ose rarement s'avancer, mais devient fou de joie dès qu'il voit qu'Olivier s'approche. Que Lucien fasse des vers, chacun s'en doute; pourtant Olivier est, je crois bien, le seul à qui Lucien découvre ses projets. Tous deux gagnèrent le bord de la terrasse.

« Ce que je voudrais, disait Lucien, c'est raconter l'histoire, non point d'un personnage, mais d'un endroit — tiens, par exemple, d'une allée de jardin, comme celle-ci, raconter ce qui s'y passe — depuis le matin jusqu'au soir. Il y viendrait d'abord des bonnes d'enfants, des nourrices avec des rubans... Non, non... d'abord des gens tout gris, sans sexe ni âge, pour balayer l'allée, arroser l'herbe, changer les fleurs, enfin préparer la scène et le décor avant l'ouverture des grilles, tu comprends? Alors, l'entrée des nourrices. Des mioches font des pâtés de sable, se chamaillent; les bonnes les giflent. Ensuite il y a la sortie des petites classes — et puis les ouvrières. Il y a des pauvres qui viennent manger sur un banc. Plus tard des jeunes gens qui se cherchent; d'autres qui se fuient; d'autres qui s'isolent, des rêveurs. Et puis la foule, au moment de la musique et de la sortie des magasins. Des étudiants, comme à présent. Le soir, des amants qui s'embrassent; d'autres qui se quittent en pleurant. Enfin, à la tombée du jour, un vieux couple... Et, tout à coup, un roulement de tambour : on ferme. Tout le monde sort. La pièce est finie (**5**). Tu comprends : quelque chose qui donnerait l'impression de la fin de tout, de la mort... mais sans parler de la mort, naturellement.

— Oui, je vois ça très bien, dit Olivier qui songeait à Bernard et n'avait pas écouté un mot.

— Et ça n'est pas tout; ça n'est pas tout! reprit Lucien avec ardeur. Je voudrais, dans une espèce d'épilogue, montrer cette même allée, la nuit, après que tout le monde est parti, déserte, beaucoup plus belle que pendant le jour; dans le grand silence, l'exaltation de tous les bruits naturels : le bruit de la fontaine, du vent dans les feuilles, et le chant d'un oiseau de nuit. J'avais pensé d'abord à y faire circuler des ombres, peut-être des statues... mais je crois que ça serait plus banal; qu'est-ce que tu en penses?

— Non, pas de statues, pas de statues, protesta distraitement Olivier; puis, sous le regard triste de l'autre : Eh bien, mon vieux, si tu réussis, ce sera épatant, s'écria-t-il chaleureusement (**6**). »

II

Monsieur Profitendieu était pressé de rentrer et trouvait que son collègue Molinier, qui l'accompagnait le long du boulevard Saint-Germain, marchait bien lentement. Albéric Profitendieu venait d'avoir au Palais[1] une journée particulièrement chargée : il s'inquiétait de sentir une certaine pesanteur au côté droit; la fatigue, chez lui, portait sur le foie, qu'il avait un peu délicat. Il songeait au bain qu'il allait prendre; rien ne le reposait mieux des soucis du jour qu'un bon bain; en prévision de quoi il n'avait pas goûté ce jourd'hui, estimant qu'il n'est prudent d'entrer dans l'eau, fût-elle tiède, qu'avec un estomac non chargé. Après tout, ce n'était peut-être là qu'un préjugé; mais les préjugés sont les pilotis de la civilisation.

Oscar Molinier pressait le pas tant qu'il pouvait et faisait effort pour suivre Profitendieu, mais il était beaucoup plus court que lui et de moindre développement crural[2]; de plus, le cœur un peu capitonné de graisse, il s'essoufflait facilement. Profitendieu, encore vert à cinquante-cinq ans, de coffre creux et de démarche alerte, l'aurait plaqué volontiers; mais il était très soucieux des convenances; son collègue était plus âgé que lui, plus avancé dans la carrière : il lui devait le respect. Il avait, de plus, à se faire pardonner sa fortune qui, depuis la mort des parents de sa femme, était considérable, tandis que monsieur Molinier n'avait pour tout bien que son traitement de président de chambre, traitement dérisoire et hors de proportion avec la haute situation qu'il occupait avec une dignité d'autant plus grande qu'elle palliait sa médiocrité. Profitendieu dissimulait son impatience; il se retournait vers Molinier et regardait celui-ci s'éponger; au demeurant ce que lui disait

1. Palais de Justice; **2.** *Crural :* relatif aux jambes (terme d'anatomie). L'écrivain veut dire que Molinier était court de jambes.

Molinier l'intéressait fort; mais leur point de vue n'était pas le même et la discussion s'échauffait (**7**).

[La discussion des deux magistrats porte sur un sujet assez délicat : on a découvert qu'une quinzaine de fils de famille entretenaient des rendez-vous galants avec des femmes de mauvaise vie. Molinier conseille à son collègue la plus grande prudence dans la surveillance et la répression de cette affaire scandaleuse.

Une fois rentré chez lui, Profitendieu n'a pas le temps de prendre le bain auquel il aspirait. Antoine, son domestique, lui remet, en effet, une lettre de Bernard.]

Il s'approcha de la fenêtre et lut :

« Monsieur,

« J'ai compris, à la suite de certaine découverte que j'ai faite par hasard cet après-midi, que je dois cesser de vous considérer comme mon père, et c'est pour moi un immense soulagement. En me sentant si peu d'amour pour vous, j'ai longtemps cru que j'étais un fils dénaturé; je préfère savoir que je ne suis pas votre fils du tout. Peut-être estimez-vous que je vous dois la reconnaissance pour avoir été traité par vous comme un de vos enfants; mais d'abord j'ai toujours senti entre eux et moi votre différence d'égards, et puis tout ce que vous en avez fait, je vous connais assez pour savoir que c'était par horreur du scandale, pour cacher une situation qui ne vous faisait pas beaucoup d'honneur — et enfin parce que vous ne pouviez faire autrement. Je préfère partir sans revoir ma mère, parce que je craindrais, en lui faisant mes adieux définitifs, de m'attendrir et aussi parce que devant moi, elle pourrait se sentir dans une fausse situation — ce qui me serait désagréable. Je doute que son affection pour moi soit bien vive; comme j'étais le plus souvent en pension, elle n'a guère eu le temps de me connaître, et comme ma vue lui rappelait sans cesse quelque chose de sa vie qu'elle aurait voulu effacer, je pense qu'elle me verra partir avec soulagement et plaisir. Dites-lui, si vous en avez le courage, que je ne lui en veux pas de m'avoir fait bâtard; qu'au contraire, je préfère ça à savoir que je suis né de vous [**8**]. (Excusez-moi de parler ainsi; mon intention n'est pas de vous écrire des insultes; mais ce que j'en dis va vous permettre de me mépriser, et cela vous soulagera.)

« Si vous désirez que je garde le silence sur les secrètes raisons qui m'ont fait quitter votre foyer, je vous prie de ne point chercher à m'y faire revenir. La décision que je prends de vous quitter est irrévocable. Je ne sais ce qu'a pu vous coûter mon entretien jusqu'à ce jour; je pouvais accepter de vivre à vos dépens tant que j'étais dans l'ignorance, mais il va sans dire que je préfère ne rien recevoir de vous à l'avenir. L'idée de vous devoir quoi que ce soit m'est intolérable, et je crois que, si c'était à recommencer, je préférerais mourir de faim plutôt que de m'asseoir à votre table. Heureusement il me semble me souvenir d'avoir entendu dire que ma mère, quand elle vous a épousé, était plus riche que vous. Je suis donc libre de penser que je n'ai vécu qu'à sa charge. Je la remercie, la tiens quitte de tout le reste, et lui demande de m'oublier. Vous trouverez bien un moyen d'expliquer mon départ auprès de ceux qui pourraient s'en étonner. Je vous permets de me charger (mais je sais bien que vous n'attendrez pas ma permission pour le faire).

« Je signe du ridicule nom qui est le vôtre (**9**), que je voudrais pouvoir vous rendre, et qu'il me tarde de déshonorer.

« BERNARD PROFITENDIEU.

« *P. S.* Je laisse chez vous toutes mes affaires qui pourront servir à Caloub[1] plus légitimement, je l'espère pour vous. »

Monsieur Profitendieu gagna, en chancelant, un fauteuil. Il eût voulu réfléchir, mais les idées tourbillonnaient confusément dans sa tête. De plus, il ressentait un petit pincement au côté droit, là, sous les côtes; il n'y couperait pas : c'était la crise de foie. Y avait-il seulement de l'eau de Vichy, à la maison? Si au moins son épouse était rentrée! Comment allait-il l'avertir de la fuite de Bernard? Devait-il lui montrer la lettre? Elle est injuste, cette lettre, abominablement injuste (**10**). Il devrait s'en indigner surtout. Il voudrait prendre pour de l'indignation sa tristesse. Il respire fortement et à chaque expiration exhale un « ah! mon Dieu! » rapide et faible comme un soupir. Sa douleur au côté se confond avec sa tristesse, la prouve et la localise. Il lui semble qu'il a du chagrin au foie. Il se jette dans un fauteuil et relit la lettre de Bernard. Il hausse tristement les épaules. Certes elle est cruelle pour lui, cette lettre; mais il y sent

1. Frère puîné de Bernard. (Voir tableau des personnages, p. 22.)

du dépit, du défi, de la jactance. Jamais aucun de ses autres enfants, de ses vrais enfants, n'aurait été capable d'écrire ainsi, non plus qu'il n'en aurait été capable lui-même; il le sait bien, car il n'est rien en eux qu'il n'ait connu de reste en lui-même. Certes il a toujours cru qu'il devait blâmer ce qu'il sentait en Bernard de neuf, de rude, et d'indompté; mais il a beau le croire encore, il sent bien que c'est précisément à cause de cela qu'il l'aimait comme il n'avait jamais aimé les autres (**11**).

Depuis quelques instants on entendait dans la pièce d'à côté Cécile[1] qui, rentrée du concert, s'était mise au piano et répétait avec obstination la même phrase d'une barcarolle[2]. A la fin Albéric Profitendieu n'y tint plus. Il entrouvrit la porte du salon et, d'une voix plaintive, quasi suppliante, car la colique hépatique commençait à le faire cruellement souffrir (au surplus il a toujours été quelque peu timide avec elle) :

« Ma petite Cécile, voudrais-tu t'assurer qu'il y a de l'eau de Vichy à la maison; et s'il n'y en a pas, en envoyer chercher. Et puis tu serais gentille d'arrêter un peu ton piano.

— Tu es souffrant?

— Mais non, mais non. Simplement j'ai besoin de réfléchir un peu jusqu'au dîner et ta musique me dérange. »

Et, par gentillesse, car la souffrance le rend doux, il ajoute :

« C'est bien joli ce que tu jouais là. Qu'est-ce que c'est? »

Mais il sort sans avoir entendu la réponse. Du reste sa fille qui sait qu'il n'entend rien à la musique et confond *Viens, Poupoule*[3] avec la marche de Tannhäuser[4] (du moins c'est elle qui le dit), n'a pas l'intention de lui répondre. Mais voici qu'il rouvre la porte :

« Ta mère n'est pas rentrée?

— Non, pas encore. »

C'est absurde. Elle allait rentrer si tard qu'il n'aurait pas le temps de lui parler avant le dîner. Qu'est-ce qu'il pourrait inventer pour expliquer provisoirement l'absence de Bernard? Il ne pouvait pourtant pas raconter la vérité, livrer aux enfants le secret de l'égarement passager de leur

1. Sœur de Bernard et fille d'Albéric Profitendieu; 2. *Barcarolle :* primitivement, chant de gondolier vénitien; puis : morceau de musique ressemblant à ce chant; 3. Chanson de café-concert, très en vogue avant la guerre de 1914; 4. Sans doute, la *Marche des pèlerins. Tannhäuser* (1845) est un des plus célèbres opéras de Wagner.

mère. Ah ! tout était si bien pardonné, oublié, réparé. La naissance d'un dernier fils[1] avait scellé leur réconciliation. Et soudain ce spectre vengeur qui ressort du passé, ce cadavre que le flot ramène...

Allons ! qu'est-ce que c'est encore ? La porte de son bureau s'est ouverte sans bruit ; vite, il glisse la lettre dans la poche intérieure de son veston ; la portière tout doucement se soulève. C'est Caloub.

« Papa, dis... Qu'est-ce que ça veut dire, cette phrase latine. Je n'y comprends rien...

— Je t'ai déjà dit de ne pas entrer sans frapper. Et puis je ne veux pas que tu viennes me déranger comme ça à tout bout de champ. Tu prends l'habitude de te faire aider et de te reposer sur les autres au lieu de donner un effort personnel. Hier, c'était ton problème de géométrie, aujourd'hui c'est une... de qui est-elle ta phrase latine ? »

Caloub tend son cahier :

« Il ne nous a pas dit ; mais, tiens, regarde : toi tu vas reconnaître. Il nous l'a dictée, mais j'ai peut-être mal écrit. Je voudrais savoir au moins si c'est correct... »

Monsieur Profitendieu prend le cahier, mais il souffre trop. Il repousse doucement l'enfant :

« Plus tard. On va dîner. Charles[2] est-il rentré ?

— Il est redescendu à son cabinet. (C'est au rez-de-chaussée que l'avocat reçoit sa clientèle.)

— Va lui dire qu'il vienne me trouver. Va vite. »

Un coup de sonnette ! Madame Profitendieu rentre enfin ; elle s'excuse d'être en retard ; elle a dû faire beaucoup de visites. Elle s'attriste de trouver son mari souffrant. Que peut-on faire pour lui ? C'est vrai qu'il a très mauvaise mine. — Il ne pourra manger. Qu'on se mette à table sans lui. Mais qu'après le repas elle vienne le retrouver avec les enfants. — Bernard ! — Ah ! c'est vrai ; son ami... tu sais bien, celui avec qui il prenait des répétitions de mathématiques, est venu l'emmener dîner (**12**).

Profitendieu se sentait mieux. Il avait d'abord eu peur d'être trop souffrant pour pouvoir parler. Pourtant il importait de donner une explication de la disparition de Bernard. Il savait maintenant ce qu'il devait dire, si douloureux que

1. Il s'agit de Caloub ; 2. Fils aîné des Profitendieu.

cela fût. Il se sentait ferme et résolu. Sa seule crainte, c'était que sa femme ne l'interrompît par des pleurs, par un cri; qu'elle ne se trouvât mal...

Une heure plus tard, elle entre avec les trois enfants, s'approche. Il la fait asseoir près de lui contre son fauteuil :

« Tâche de te tenir, lui dit-il à voix basse, mais sur un ton impérieux; et ne dis pas un mot, tu m'entends. Nous causerons ensuite tous les deux. »

Et tandis qu'il parle, il garde une de ses mains à elle dans les siennes.

« Allons; asseyez-vous, mes enfants. Cela me gêne de vous voir là, debout devant moi comme pour un examen. J'ai à vous dire quelque chose de très triste... Bernard nous a quittés et nous ne le reverrons plus... d'ici quelque temps. Il faut que je vous apprenne aujourd'hui ce que je vous ai caché d'abord, désireux que j'étais de vous voir aimer Bernard comme un frère; car votre mère et moi nous l'aimions comme notre enfant. Mais il n'était pas notre enfant... et un oncle à lui, un frère de sa vraie mère qui nous l'avait confié en mourant... est venu ce soir le reprendre. »

Un pénible silence suit ses paroles et l'on entend renifler Caloub. Chacun attend, pensant qu'il va parler davantage. Mais il fait un geste de la main :

« Allez, maintenant, mes enfants. J'ai besoin de causer avec votre mère. »

Après qu'ils sont partis, monsieur Profitendieu reste longtemps sans rien dire. La main que madame Profitendieu a laissée dans les siennes est comme morte. De l'autre, elle a porté son mouchoir à ses yeux. Elle s'accoude à la grande table, et se détourne pour pleurer. A travers les sanglots qui la secouent, Profitendieu l'entend murmurer :

« Oh! vous êtes cruel... Oh! vous l'avez chassé... »

Tout à l'heure, il avait résolu de ne pas lui montrer la lettre de Bernard; mais, devant cette accusation si injuste, il la lui tend :

« Tiens : lis.

— Je ne peux pas.

— Il faut que tu lises. »

Il ne songe plus à son mal. Il la suit des yeux, tout le long de la lettre, ligne après ligne. Tout à l'heure en parlant, il avait peine à retenir ses larmes; à présent l'émotion même l'abandonne; il regarde sa femme (**13**). Que pense-t-elle? De la même voix plaintive, à travers les mêmes sanglots, elle murmure encore :

« Oh! pourquoi lui as-tu parlé... Tu n'aurais pas dû lui dire...

— Mais tu vois bien que je ne lui ai rien dit... Lis mieux sa lettre.

— J'ai bien lu... Mais alors comment a-t-il découvert? Qui lui a dit?... »

Quoi! c'est à cela qu'elle songe! C'est là l'accent de sa tristesse! Ce deuil devrait les réunir. Hélas! Profitendieu sent confusément leurs pensées à tous deux prendre une direction divergente. Et tandis qu'elle se plaint, qu'elle accuse, qu'elle revendique, il essaie d'incliner cet esprit rétif vers des sentiments plus pieux :

« Voilà l'expiation », dit-il (**14**).

Il s'est levé, par instinctif besoin de dominer; il se tient à présent tout dressé, oublieux et insoucieux de sa douleur physique, et pose gravement, tendrement, autoritairement la main sur l'épaule de Marguerite. Il sait bien qu'elle ne s'est jamais que très imparfaitement repentie de ce qu'il a toujours voulu considérer comme une défaillance passagère; il voudrait lui dire à présent que cette tristesse, cette épreuve pourra servir à son rachat mais il cherche en vain une formule qui le satisfasse et qu'il puisse espérer faire entendre. L'épaule de Marguerite résiste à la douce pression de sa main. Marguerite sait si bien que toujours, insupportablement, quelque enseignement moral doit sortir, accouché par lui, des moindres événements de la vie; il interprète et traduit tout selon son dogme[1]. Il se penche vers elle. Voici ce qu'il voudrait lui dire :

« Ma pauvre amie, vois-tu : il ne peut naître rien de bon du péché. Il n'a servi de rien de chercher à couvrir ta faute. Hélas! j'ai fait ce que j'ai pu pour cet enfant; je l'ai traité comme le mien propre. Dieu nous montre à présent que c'était une erreur, de prétendre... »

Mais dès la première phrase il s'arrête.

Et sans doute comprend-elle ces quelques mots si chargés de sens; sans doute ont-ils pénétré dans son cœur, car elle est reprise de sanglots, encore plus violents que d'abord, elle qui depuis quelques instants ne pleurait plus; puis elle

1. *Dogme :* point de doctrine, en matière de religion ou de philosophie, donné comme une vérité absolue.

se plie comme prête à s'agenouiller devant lui, qui se courbe vers elle et la maintient. Que dit-elle à travers ses larmes? Il se penche jusqu'à ses lèvres. Il entend :

« Tu vois bien... Tu vois bien... Ah! pourquoi m'as-tu pardonné...? Ah! je n'aurais pas dû revenir! »

Presque il est obligé de deviner ses paroles. Puis elle se tait. Elle non plus ne peut exprimer davantage. Comment lui eût-elle dit qu'elle se sentait emprisonnée dans cette vertu qu'il exigeait d'elle; qu'elle étouffait; que ce n'était pas tant sa faute qu'elle regrettait à présent, que de s'en être repentie? Profitendieu s'était redressé :

« Ma pauvre amie, dit-il sur un ton digne et sévère, je crains que tu ne sois un peu butée ce soir. Il est tard. Nous ferions mieux d'aller nous coucher. »

Il l'aide à se relever, puis l'accompagne jusqu'à sa chambre, pose ses lèvres sur son front, puis retourne dans son bureau et se jette dans un fauteuil. Chose étrange, sa crise de foie s'est calmée; mais il se sent brisé. Il reste le front dans les mains, trop triste pour pleurer. Il n'entend pas frapper à la porte, mais, au bruit de la porte qui s'ouvre, lève la tête : c'est son fils Charles :

« Je venais te dire bonsoir. »

Charles s'approche. Il a tout compris. Il veut le donner à entendre à son père. Il voudrait lui témoigner sa pitié, sa tendresse, sa dévotion, mais, qui le croirait d'un avocat : il est on ne peut plus maladroit à s'exprimer; ou peut-être devient-il maladroit précisément lorsque ses sentiments sont sincères. Il embrasse son père. La façon insistante qu'il a de poser, d'appuyer sa tête sur l'épaule de son père et de l'y laisser quelque temps, persuade celui-ci qu'il a compris. Il a si bien compris que le voici qui, relevant un peu la tête, demande, gauchement, comme tout ce qu'il fait, — mais il a le cœur si tourmenté qu'il ne peut se retenir de demander :

« Et Caloub? »

La question est absurde, car, autant Bernard différait des autres enfants, autant chez Caloub l'air de famille est sensible. Profitendieu tape sur l'épaule de Charles :

« Non; non; rassure-toi. Bernard seul. »

Alors Charles, sentencieusement :

« Dieu chasse l'intrus pour... »

Mais Profitendieu l'arrête; qu'a-t-il besoin qu'on lui parle ainsi?

« Tais-toi. »

Le père et le fils n'ont plus rien à se dire. Quittons-les. Il est bientôt onze heures. Laissons madame Profitendieu dans sa chambre, assise sur une petite chaise droite peu confortable. Elle ne pleure pas; elle ne pense à rien. Elle voudrait, elle aussi, s'enfuir; mais elle ne le fera pas. Quand elle était avec son amant, le père de Bernard, que nous n'avons pas à connaître, elle se disait : « Va, tu auras beau faire; tu ne seras jamais qu'une honnête femme. » Elle avait peur de la liberté, du crime, de l'aisance; ce qui fit qu'au bout de dix jours elle rentrait repentante au foyer. Ses parents autrefois avaient bien raison de lui dire : « Tu ne sais jamais ce que tu veux. » Quittons-la. Cécile dort déjà. Caloub considère avec désespoir sa bougie; elle ne durera pas assez pour lui permettre d'achever un livre d'aventures, qui le distrait du départ de Bernard. J'aurais été curieux de savoir ce qu'Antoine[1] a pu raconter à son amie la cuisinière; mais on ne peut tout écouter. Voici l'heure où Bernard doit aller retrouver Olivier. Je ne sais pas trop où il dîna ce soir, ni même s'il dîna du tout. Il a passé sans encombre devant la loge du concierge; il monte en tapinois l'escalier (**15**)...

III

[Bernard va passer sa première nuit de liberté chez son ami Olivier Molinier. Celui-ci lui révèle que son frère aîné Vincent a une maîtresse, Laura, qu'il est sur le point d'abandonner. Il lui apprend également qu'il doit aller, le lendemain matin, chercher son oncle Edouard à la gare Saint-Lazare. Édouard est un romancier, très sympathique au jeune homme de qui il a déjà lu quelques vers.

Dans la même chambre qu'Olivier couche son frère cadet, Georges, qui, en dépit de son jeune âge, apparaît comme un garçon singulièrement dégourdi.]

IV

[Vincent Molinier, qui est externe en médecine, se rend chez un de ses anciens camarades de lycée, Robert de Passavant, un littérateur, dont il soigne le vieux père pour se procurer quelque argent. Argent dont il a le plus grand besoin pour subvenir aux frais

1. Valet de chambre chez les Profitendieu. C'est lui qui a remis au juge d'instruction la lettre de Bernard.

André Gide et Roger Martin du Gard lisant le manuscrit des *Faux-Monnayeurs.*

« Il fut le seul que je consultai et dont j'appelai les conseils. » *(Journal des « Faux-Monnayeurs ».)*

[Document extrait de *la Vie de André Gide*, coll. « Albums photo-praphiques », éd. Gallimard.]

d'accouchement de Laura, sa maîtresse, qui attend un enfant de lui. Il avait économisé 5 000 francs pour faire face à la dépense, mais les a perdus dans un tripot où l'a introduit Passavant. Pris de court, il s'est décidé à abandonner Laura.

C'est alors que Passavant lui prête 5 000 francs pour qu'il essaie de regagner au jeu la somme perdue. Puis il lui donne rendez-vous chez une riche Anglaise, lady Griffith.

Cependant, le vieux comte de Passavant meurt. Il n'est veillé que par sa servante et son plus jeune fils, Gontran.]

V

[Lady Griffith raconte à Robert de Passavant dans quelles circonstances Vincent est devenu l'amant de Laura. Celle-ci, mariée à un petit professeur de français en Angleterre, Douviers, a connu Vincent à Pau, dans un sanatorium où ils étaient tous les deux en traitement. Les deux jeunes gens sont revenus à Paris, mais Laura, dont les parents tiennent un établissement scolaire près du Luxembourg, n'a pas osé reparaître chez eux.

Le récit est interrompu par l'arrivée de Vincent, qui vient de gagner 50 000 francs au jeu.]

VI

Bernard a fait un rêve absurde. Il ne se souvient pas de ce qu'il a rêvé. Il ne cherche pas à se souvenir de son rêve, mais à en sortir. [...] Sans éveiller Olivier, il se lève, se rhabille et revient s'étendre sur le lit. Il est encore trop tôt pour partir. Quatre heures. La nuit commence à peine à pâlir. Encore une heure de repos, d'élan pour commencer vaillamment la journée. Mais c'en est fait du sommeil. Bernard contemple la vitre bleuissante, les murs gris de la petite pièce, le lit de fer où Georges s'agite en rêvant.

« Dans un instant, se dit-il, j'irai vers mon destin. Quel beau mot : l'aventure (**16**)! Ce qui doit advenir. Tout le surprenant qui m'attend. Je ne sais pas si d'autres sont comme moi, mais dès que je suis réveillé, j'aime à mépriser ceux qui dorment. Olivier, mon ami, je partirai sans ton adieu. Houst! Debout, valeureux Bernard! Il est temps. »

Il frotte son visage d'un coin de serviette trempée; se recoiffe; se rechausse. Il ouvre la porte, sans bruit. Dehors!

Ah! que paraît salubre à tout l'être l'air qui n'a pas encore été respiré! Bernard suit la grille du Luxembourg; il descend la rue Bonaparte, gagne les quais, traverse la Seine. Il songe à sa nouvelle règle de vie, dont il a trouvé depuis peu la formule : « Si tu ne fais pas cela, qui le fera ? Si tu ne le fais pas aussitôt, quand sera-ce ? » — Il songe : « De grandes choses à faire »; il lui semble qu'il va vers elles. « De grandes choses », se répète-t-il en marchant. Si seulement il savait lesquelles !... En attendant, il sait qu'il a faim : le voici près des Halles. Il a quatorze sous[1] dans sa poche, pas un liard de plus. Il entre dans un bar; prend un croissant et un café au lait sur le zinc. Coût : dix sous. Il lui en reste quatre; crânement, il en abandonne deux sur le comptoir, tend les deux autres à un va-nu-pieds qui fouille une boîte à ordures. Charité ? Défi ? Peu importe. A présent, il se sent heureux comme un roi. Il n'a plus rien : tout est à lui (**17**) ! « J'attends tout de la Providence, songe-t-il. Si seulement elle consent vers midi à servir devant moi quelque beau rosbif saignant, je composerai bien avec elle » (car hier soir, il n'a pas dîné). Le soleil s'est levé depuis longtemps. Bernard rejoint le quai. Il se sent léger; s'il court, il lui semble qu'il vole. Dans son cerveau bondit voluptueusement sa pensée. Il pense :

« Le difficile dans la vie, c'est de prendre au sérieux longtemps de suite la même chose. Ainsi, l'amour de ma mère pour celui que j'appelais mon père — cet amour, j'y ai cru quinze ans; j'y croyais hier encore. Elle non plus, parbleu ! n'a pu prendre longtemps au sérieux son amour. Je voudrais bien savoir si je la méprise, ou si je l'estime davantage, d'avoir fait de son fils un bâtard ?... Et puis, au fond, je ne tiens pas tant que ça à le savoir. Les sentiments pour les progéniteurs[2], ça fait partie des choses qu'il vaut mieux ne pas chercher trop à tirer au clair. Quant au cocu, c'est bien simple : d'aussi loin que je m'en souvienne, je l'ai toujours haï; il faut bien que je m'avoue aujourd'hui que je n'y avais pas grand mérite — et c'est tout ce que je regrette ici. Dire que si je n'avais pas forcé ce tiroir, j'aurais pu croire toute ma vie que je nourrissais à l'égard d'un père des sentiments dénaturés ! Quel soulagement de savoir !... Tout de même, je n'ai pas précisément forcé le tiroir; je ne songeais même pas à l'ouvrir... Et puis il y avait des circonstances atténuantes (**18**) : d'abord je m'ennuyais effroyablement ce

1. Le *sou* est la vingtième partie du franc (cinq centimes); **2.** Mot emphatique et ironique pour désigner *les parents*.

jour-là. Et puis cette curiosité, cette « fatale curiosité », comme dit Fénelon, c'est ce que j'ai le plus sûrement hérité de mon vrai père, car il n'y en a pas trace dans la famille Profitendieu. Je n'ai jamais rencontré moins curieux que Monsieur le mari de ma mère; si ce n'est les enfants qu'il lui a faits. Il faudra que je repense à eux quand j'aurai dîné... Soulever la plaque de marbre d'un guéridon et s'apercevoir que le tiroir bâille, ça n'est tout de même pas la même chose que de forcer une serrure. Je ne suis pas un crocheteur[1]. Ça peut arriver à n'importe qui, de soulever le marbre d'un guéridon. Thésée[2] devait avoir mon âge quand il souleva le rocher. Ce qui empêche pour le guéridon, d'ordinaire, c'est la pendule. Je n'aurais pas songé à soulever la plaque de marbre du guéridon si je n'avais pas voulu réparer la pendule... Ce qui n'arrive pas à n'importe qui, c'est de trouver là-dessous des armes; ou des lettres d'un amour coupable! Bah! l'important c'était que j'en fusse instruit. Tout le monde ne peut pas se payer, comme Hamlet, le luxe d'un spectre révélateur[3]. Hamlet! C'est curieux comme le point de vue diffère, suivant qu'on est le fruit du crime ou de la légitimité. Je reviendrai là-dessus quand j'aurai dîné... Est-ce que c'était mal à moi de lire ces lettres? Si ç'avait été mal... non, j'aurais des remords. Et si je n'avais pas lu ces lettres, j'aurais dû continuer à vivre dans l'ignorance, le mensonge et la soumission. Aérons-nous. Gagnons le large! « Bernard! Bernard, cette verte jeunesse... », comme dit Bossuet[4]; assieds-la sur ce banc, Bernard (**19**). Qu'il fait beau ce matin! Il y a des jours où le soleil vraiment a l'air de caresser la terre (**20**). Si je pouvais me quitter un peu, sûrement, je ferais des vers. »

Étendu sur le banc, il se quitta si bien qu'il dormit.

VII

[Vincent Molinier est devenu l'amant de lady Griffith. Mais il se reproche d'avoir abandonné Laura. Pour qu'il puisse échapper

1. *Crocheteur :* malfaiteur qui se sert d'un *crochet* pour forcer une porte; **2.** *Thésée :* héros grec, fils d'Égée et d'Aethra. Avant de quitter l'Argolide, son père avait déposé ses sandales et son épée sous un énorme *rocher*. Rocher que devrait soulever son fils quand il serait parvenu à l'âge d'homme. Après quoi. une fois en possession des sandales et de l'épée paternelles, il se rendrait en Attique pour s'y faire reconnaître. Thésée, arrivé à l'âge d'homme, souleva le rocher et devint roi de l'Attique. A. Gide a consacré une de ses œuvres à ce personnage (1946); **3.** Le spectre du père d'Hamlet, qui lui apparaît au début de la pièce; **4.** Dans le *Panégyrique de saint Bernard.*

au remords, la belle Anglaise lui conte un épisode pathétique de sa propre vie.]

« J'étais sur *la Bourgogne*[1], tu sais, le jour où elle a fait naufrage. J'avais dix-sept ans. C'est te dire mon âge aujourd'hui. J'étais excellente nageuse; et pour te prouver que je n'ai pas le cœur trop sec, je te dirai que, si ma première pensée a été de me sauver moi-même, ma seconde a été de sauver quelqu'un. Même je ne suis pas bien sûre que ce n'ait pas été la première. Ou plutôt, je crois que je n'ai pensé à rien du tout; mais rien ne me dégoûte autant que ceux qui, dans ces moments-là, ne songent qu'à eux-mêmes; si : les femmes qui poussent des cris. Il y eut un premier canot de sauvetage qu'on avait empli principalement de femmes et d'enfants; et certaines de celles-ci poussaient de tels hurlements qu'il y avait de quoi faire perdre la tête. La manœuvre fut si mal faite que le canot, au lieu de poser à plat sur la mer, piqua du nez et se vida de tout son monde avant même de s'être empli d'eau. Tout cela se passait à la lumière de torches, de fanaux et de projecteurs. Tu n'imagines pas ce que c'était lugubre. Les vagues étaient assez fortes, et tout ce qui n'était pas dans la clarté disparaissait de l'autre côté de la colline d'eau, dans la nuit. Je n'ai jamais vécu d'une vie plus intense; mais j'étais aussi incapable de réfléchir qu'un terre-neuve, je suppose, qui se jette à l'eau. Je ne comprends même plus bien ce qui a pu se passer; je sais seulement que j'avais remarqué, dans le canot, une petite fille de cinq ou six ans, un amour; et tout de suite, quand j'ai vu chavirer la barque, c'est elle que j'ai résolu de sauver. Elle était d'abord avec sa mère; mais celle-ci ne savait pas bien nager; et puis elle était gênée, comme toujours dans ces cas-là, par sa jupe. Pour moi, j'ai dû me dévêtir machinalement; on m'appelait pour prendre place dans le canot suivant. J'ai dû y monter; puis sans doute j'ai sauté à la mer de ce canot même; je me souviens seulement d'avoir nagé assez longtemps avec l'enfant cramponné à mon cou. Il était terrifié et me serait la gorge si fort que je ne pouvais plus respirer. Heureusement, on a pu nous voir du canot et nous attendre, ou ramer vers nous. Mais ce n'est pas pour ça que je te raconte cette histoire. Le souvenir qui est

1. Allusion a un événement réel : *la Bourgogne*, paquebot transatlantique, coula après avoir été heurté dans la brume par un voilier (4 juillet 1898). Il y eut plus de 500 morts.

demeuré le plus vif, celui que jamais rien ne pourra effacer de mon cerveau ni de mon cœur : dans ce canot, nous étions, entassés, une quarantaine, après avoir recueilli plusieurs nageurs désespérés, comme on m'avait recueillie moi-même. L'eau venait presque à ras du bord. J'étais à l'arrière et je tenais pressée contre moi la petite fille que je venais de sauver, pour la réchauffer; et pour l'empêcher de voir ce que, moi, je ne pouvais pas ne pas voir : deux marins, l'un armé d'une hache et l'autre d'un couteau de cuisine, et sais-tu ce qu'ils faisaient?... Ils coupaient les doigts, les poignets de quelques nageurs qui, s'aidant des cordes s'efforçaient de monter dans notre barque. L'un de ces deux marins (l'autre était un nègre) s'est retourné vers moi qui claquais des dents de froid, d'épouvante et d'horreur : « S'il en monte un seul de plus, nous sommes tous foutus. La barque est pleine. » Il a ajouté que dans tous les naufrages on est forcé de faire comme ça; mais que naturellement on n'en parle pas.

« Alors, je crois que je me suis évanouie; en tout cas, je ne me souviens plus de rien, comme on reste sourd assez longtemps après un bruit trop formidable. Et quand, à bord du *X*..., qui nous a recueillis, je suis revenue à moi, j'ai compris que je n'étais plus, que je ne pourrais plus jamais être la même, la sentimentale jeune fille d'auparavant; j'ai compris que j'avais laissé une partie de moi sombrer avec *la Bourgogne*, qu'à un tas de sentiments délicats, désormais, je couperais les doigts et les poignets pour les empêcher de monter et de faire sombrer mon cœur (**21**). »

Elle regarda Vincent du coin de l'œil, et, cambrant le torse en arrière :

« C'est une habitude à prendre (**22**). »

[Vincent, envoûté par la beauté de lady Griffith, cède à ses arguments, mais en ressent du remords au fond de lui-même.]

VIII

[Dans le train qui le conduit de Dieppe à Paris, Édouard lit, non sans irritation, le dernier livre de Passavant : *la Barre fixe.* Puis il tire de sa poche une lettre de Laura, qui lui confesse sa faute et l'implore de venir à son secours puisque son amant l'a abandonnée. Il glisse la lettre dans un cahier cartonné, contenu dans sa valise et qui n'est autre que son *Journal.*

Ce *Journal* nous apprend quelle place Laura tient dans la vie d'Édouard. S'il ne l'a pas épousée (et pourtant elle l'aimait), c'est parce qu'il ne se sentait pas assez sûr de la stabilité de ses propres sentiments.]

Journal d'Édouard

[...] « 26 oct. — Rien n'a pour moi d'existence, que *poétique* (et je rends à ce mot son plein sens) — à commencer par moi-même. Il me semble parfois que je n'existe pas vraiment, mais simplement que j'imagine que je suis. Ce à quoi je parviens le plus difficilement à croire, c'est à ma propre réalité. Je m'échappe sans cesse et ne comprends pas bien, lorsque je me regarde agir, que celui que je vois agir soit le même que celui qui regarde, et qui s'étonne, et doute qu'il puisse être acteur et contemplateur à la fois (**23**).

« L'analyse psychologique a perdu pour moi tout intérêt du jour où je me suis avisé que l'homme éprouve ce qu'il s'imagine éprouver. De là à penser qu'il s'imagine éprouver ce qu'il éprouve (**24**)... Je le vois bien avec mon amour : entre aimer Laura et m'imaginer que je l'aime — entre m'imaginer que je l'aime moins, et l'aimer moins, quel dieu verrait la différence ? Dans le domaine des sentiments, le réel ne se distingue pas de l'imaginaire. Et, s'il suffit d'imaginer qu'on aime pour aimer, ainsi suffit-il de se dire qu'on imagine aimer, quand on aime, pour aussitôt aimer un peu moins, et même pour se détacher un peu de ce qu'on aime — ou pour en détacher quelques cristaux. Mais pour se dire cela ne faut-il pas déjà aimer un peu moins ?

« C'est par un tel raisonnement que X, dans mon livre, s'efforcera de se détacher de Z — et surtout s'efforcera de la détacher de lui.

« 28 octobre. — On parle sans cesse de la brusque cristallisation[1] de l'amour. La lente *décristallisation*, dont je n'entends jamais parler, est un phénomène psychologique qui m'intéresse bien davantage. J'estime qu'on le peut observer, au bout d'un temps plus ou moins long, dans tous les mariages d'amour. Il n'y aura pas à craindre cela pour Laura,

1. Le terme fut mis à la mode par Stendhal (*De l'amour*, 1822). C'est le phénomène psychologique qui « tire de tout ce qui se présente la découverte que l'objet aimé a de nouvelles perfections »

certes (et c'est tant mieux), si elle épouse Félix Douviers, ainsi que le lui conseillent la raison, sa famille et moi-même. Douviers est un très honnête professeur, plein de mérites, et très capable dans sa partie (il me revient qu'il est très apprécié par ses élèves) — en qui Laura va découvrir, à l'usage, d'autant plus de vertus qu'elle s'illusionnera moins par avance; quand elle parle de lui, je trouve même que, dans la louange, elle reste plutôt en deçà. Douviers vaut mieux que ce qu'elle croit.

« Quel admirable sujet de roman : au bout de quinze ans, de vingt ans de vie conjugale, la décristallisation progressive et réciproque des conjoints (**25**)! Tant qu'il aime et veut être aimé, l'amoureux ne peut se donner pour ce qu'il est vraiment, et, de plus, il ne voit pas l'autre — mais bien, en son lieu, une idole qu'il pare, et qu'il divinise, et qu'il crée.

« J'ai donc mis en garde Laura, et contre elle, et contre moi-même. J'ai tâché de lui persuader que notre amour ne saurait nous assurer à l'un ni à l'autre de durable bonheur. J'espère l'avoir à peu près convaincue. »

Édouard hausse les épaules, referme le journal sur la lettre et remet le tout dans la valise. Il y dépose également son portefeuille après y avoir prélevé un billet de cent francs qui lui suffira certainement jusqu'au moment où il ira reprendre sa valise, qu'il compte laisser à la consigne en arrivant. L'embêtant c'est qu'elle ne ferme pas à clef, sa valise; ou du moins qu'il n'a plus la clef pour la fermer. Il perd toujours les clefs de ses valises. Bah! les employés de la consigne sont trop affairés durant le jour, et jamais seuls. Il la dégagera, cette valise, vers quatre heures; la portera chez lui (**26**); puis ira consoler et secourir Laura; il tâchera de l'emmener dîner.

Édouard somnole; ses pensées insensiblement prennent un autre cours. Il se demande s'il aurait deviné, à la seule lecture de la lettre de Laura, qu'elle a les cheveux noirs? Il se dit que les romanciers, par la description trop exacte de leurs personnages, gênent plutôt l'imagination qu'ils ne la servent et qu'ils devraient laisser chaque lecteur se représenter chacun de ceux-ci comme il lui plaît. Il songe au roman qu'il prépare, qui ne doit ressembler à rien de ce qu'il a écrit jusqu'alors. Il n'est pas assuré que *les Faux-Mon-*

nayeurs soit un bon titre. Il a eu tort de l'annoncer. Absurde, cette coutume d'indiquer les « en préparation » afin d'allécher les lecteurs. Cela n'allèche personne et cela vous lie... Il n'est pas assuré non plus que le sujet soit très bon. Il y pense sans cesse et depuis longtemps; mais il n'en a pas écrit encore une ligne. Par contre, il transcrit sur un carnet ses notes et ses réflexions.

Il sort de sa valise ce carnet. De sa poche, il sort un stylo. Il écrit :

« Dépouiller le roman de tous les éléments qui n'appartiennent pas spécifiquement au roman. De même que la photographie, naguère, débarrassa la peinture du souci de certaines exactitudes, le phonographe nettoiera sans doute demain le roman de ses dialogues rapportés, dont le réaliste souvent se fait gloire. Les événements extérieurs, les accidents, les traumatismes, appartiennent au cinéma; il sied que le roman les lui laisse (**27**). Même la description des personnages ne me paraît point appartenir proprement au genre. Oui vraiment, il ne me paraît pas que le roman *pur*[1] (et en art, comme partout, la pureté seule m'importe) ait à s'en occuper. Non plus que ne fait le drame. Et qu'on ne vienne point dire que le dramaturge ne décrit pas ses personnages parce que le spectateur est appelé à les voir portés tout vivants sur la scène; car combien de fois n'avons-nous pas été gênés au théâtre, par l'acteur, et souffert de ce qu'il ressemblât si mal à celui que, sans lui, nous nous représentions si bien (**28**). — Le romancier, d'ordinaire, ne fait point suffisamment crédit à l'imagination du lecteur. »

Quelle station vient de passer en coup de vent? Asnières[2]. Il remet le carnet dans la valise. Mais décidément le souvenir de Passavant le tourmente. Il ressort le carnet. Il y écrit encore :

« Pour Passavant, l'œuvre d'art n'est pas tant un but qu'un moyen. Les convictions artistiques dont il fait montre ne s'affirment si véhémentes que parce qu'elles ne sont pas profondes; nulle secrète exigence de tempérament ne les

1. Le mot était à la mode au moment où parurent *les Faux-Monnayeurs*. Une querelle venait d'opposer, à l'Académie française, Paul Valéry et l'abbé Bremond au sujet de la *poésie pure ;* **2.** Ville de banlieue, à quatre kilomètres de Paris.

commande; elles répondent à la dictée de l'époque; leur mot d'ordre est : opportunité (**29**).

« *La Barre fixe*[1]. Ce qui paraîtra bientôt le plus vieux, c'est ce qui d'abord aura paru le plus moderne. Chaque complaisance, chaque affectation est la promesse d'une ride. Mais c'est par là que Passavant plaît aux jeunes. Peu lui chaut l'avenir. C'est à la génération d'aujourd'hui qu'il s'adresse (ce qui vaut certes mieux que de s'adresser à celle d'hier) — mais comme il ne s'adresse qu'à elle, ce qu'il écrit risque de passer avec elle. Il le sait et ne se promet pas la survie; et c'est là ce qui fait qu'il se défend si âprement, non point seulement quand on l'attaque, mais qu'il proteste même à chaque restriction des critiques. S'il sentait son œuvre durable, il la laisserait se défendre elle-même et ne chercherait pas sans cesse à la justifier. Que dis-je? Il se féliciterait des mécompréhensions, des injustices. Autant de fil à retordre pour les critiques de demain (**30**). »

Il consulte sa montre. Onze heures trente-cinq. On devrait être arrivé. Curieux de savoir si par impossible Olivier l'attend à la sortie du train? Il n'y compte absolument pas. Comment supposer même qu'Olivier ait pu prendre connaissance de la carte où il annonçait aux parents d'Olivier son retour — et où incidemment, négligemment, distraitement en apparence, il précisait le jour et l'heure — comme on tendrait un piège au sort, et par amour des embrasures[2].

Le train s'arrête. Vite, un porteur! Non; sa valise n'est pas si lourde, et la consigne n'est pas si loin... A supposer qu'il soit là sauront-ils seulement, dans la foule, se reconnaître? Ils se sont si peu vus. Pourvu qu'il n'ait pas trop changé!... Ah! juste ciel! serait-ce lui?

IX

[Olivier se rend à la gare pour y accueillir Édouard. Mais, par timidité réciproque, la rencontre est une déception pour tous les deux.

1. Titre du roman que vient de publier Robert de Passavant; **2.** *Embrasures :* ouvertures pratiquées dans une porte, dans une fenêtre, dans le mur d'une fortification. André Gide veut dire, sans doute, qu'Édouard fait des *ouvertures*, c'est-à-dire des propositions des avances, dans l'espoir qu'elles parviennent à Olivier.

D'autre part, Édouard ayant jeté par mégarde le bulletin de consigne de sa valise, ce bulletin a été ramassé par Bernard, qui suivait Olivier et son oncle sans se laisser voir.]

X

[Bernard va à la gare, retire de la consigne la valise d'Édouard, l'ouvre et s'empare du portefeuille du romancier. Avec l'argent trouvé, il s'offre un déjeuner et une chambre à l'hôtel. Puis il lit le *Journal* d'Édouard.]

XI

JOURNAL D'ÉDOUARD

« 1er novembre. — Il y a quinze jours... [...]

« Je revenais au matin de chez Perrin[1], où j'allais surveiller le service de presse pour la réédition de mon vieux livre. Comme le temps était beau, je flânais le long des quais en attendant l'heure du déjeuner.

« Un peu avant d'arriver devant Vanier[2], je m'arrêtai près d'un étalage de livres d'occasion. Les livres ne m'intéressaient point tant qu'un jeune lycéen, de treize ans environ, qui fouillait les rayons en plein vent sous l'œil placide d'un surveillant assis sur une chaise de paille dans la porte de la boutique. Je feignais de contempler l'étalage, mais, du coin de l'œil, moi aussi je surveillais le petit. Il était vêtu d'un pardessus usé jusqu'à la corde et dont les manches trop courtes laissaient passer celles de la veste. La grande poche de côté restait bâillante, bien qu'on sentît qu'elle était vide; dans le coin l'étoffe avait cédé. Je pensai que ce pardessus avait déjà dû servir à plusieurs frères, et que ses frères et lui avaient l'habitude de mettre beaucoup trop de choses dans leurs poches. Je pensai aussi que sa mère était bien négligente, ou bien occupée, pour n'avoir pas réparé cela. Mais, à ce moment, le petit s'étant un peu tourné, je vis que l'autre poche était toute reprisée, grossièrement, avec un gros solide fil noir. Aussitôt, j'entendis les admonestations maternelles : « Ne mets donc pas deux livres à la fois dans ta poche; tu vas ruiner ton pardessus. Ta poche est encore déchirée. La prochaine fois, je t'avertis que je n'y

1. Éditeur dont la maison se trouve à Paris, quai des Grands-Augustins;
2. Autre éditeur, sans doute.

ferai pas de reprises. Regarde-moi de quoi tu as l'air!... » Toutes choses que me disait également ma pauvre mère, et dont je ne tenais pas compte non plus. Le pardessus, ouvert, laissait voir la veste, et mon regard fut attiré par une sorte de petite décoration, un bout de ruban, ou plutôt une rosette jaune qu'il portait à la boutonnière. Je note tout cela par discipline, et précisément parce que cela m'ennuie de le noter (**31**).

« A un certain moment, le surveillant fut appelé à l'intérieur de la boutique; il n'y resta qu'un instant, puis revint s'asseoir sur sa chaise; mais cet instant avait suffi pour permettre à l'enfant de glisser dans la poche de son manteau le livre qu'il tenait en main; puis, tout aussitôt, il se remit à fouiller les rayons, comme si de rien n'était. Pourtant il était inquiet; il releva la tête, remarqua mon regard et comprit que je l'avais vu. Du moins, il se dit que j'avais pu le voir; il n'en était sans doute pas bien sûr; mais, dans le doute, il perdit toute assurance, rougit et commença de se livrer à un petit manège, où il tâchait de se montrer tout à fait à son aise, mais qui marquait une gêne extrême. Je ne le quittais pas des yeux. Il sortit de sa poche le livre dérobé; l'y renfonça; s'écarta de quelques pas; tira de l'intérieur de son veston un pauvre petit portefeuille élimé, où il fit mine de chercher l'argent qu'il savait fort bien ne pas y être; fit une grimace significative, une moue de théâtre, à mon adresse évidemment, qui voulait dire : « Zut! je n'ai pas de quoi », avec cette petite nuance en surplus : « C'est curieux, je croyais avoir de quoi », tout cela un peu exagéré, un peu gros, comme un acteur qui a peur de ne pas se faire entendre. Puis enfin, je puis presque dire : sous la pression de mon regard, il se rapprocha de nouveau de l'étalage, sortit enfin le livre de sa poche et brusquement le remit à la place que d'abord il occupait. Ce fut fait si naturellement que le surveillant ne s'aperçut de rien. Puis l'enfant releva la tête de nouveau, espérant cette fois être quitte. Mais non; mon regard était toujours là; comme l'œil de Caïn[1]; seulement mon œil à moi souriait. Je voulais lui parler; j'attendais qu'il quittât la devanture pour l'aborder; mais il ne bougeait pas et restait en arrêt devant les livres, et je compris qu'il ne bougerait pas tant que je le fixerais ainsi.

1. Souvenir de Victor Hugo : *L'œil était dans la tombe et regardait Caïn* (« la Conscience », *la Légende des siècles*).

Alors, comme on fait à « quatre coins[1] » pour inviter le gibier fictif à changer de gîte, je m'écartai de quelques pas, comme si j'en avais assez vu. Il partit de son côté; mais il n'eut pas plus tôt gagné le large que je le rejoignis.

« — Qu'est-ce que c'était que ce livre? lui demandai-je à brûle-pourpoint, en mettant toutefois dans le ton de ma voix et sur mon visage le plus d'aménité que je pus.

« Il me regarda bien en face et je sentis tomber sa méfiance. Il n'était peut-être pas beau, mais quel joli regard il avait! J'y voyais toute sorte de sentiments s'agiter comme des herbes au fond d'un ruisseau.

« — C'est un guide d'Algérie. Mais ça coûte trop cher. Je ne suis pas assez riche.

« — Combien?

« — Deux francs cinquante[2].

« — N'empêche que si tu n'avais pas vu que je te regardais, tu filais avec le livre dans ta poche.

« Le petit eut un mouvement de révolte et, se rebiffant, sur un ton très vulgaire :

« — Non, mais, des fois... que vous me prendriez pour un voleur... — avec une conviction, à me faire douter de ce que j'avais vu. Je sentis que j'allais perdre prise si j'insistais. Je sortis trois pièces de ma poche :

« — Allons! va l'acheter. Je t'attends.

« Deux minutes plus tard, il ressortait de la boutique, feuilletant l'objet de sa convoitise. Je le lui pris des mains. C'était un vieux guide Joanne[3], de 71.

« — Qu'est-ce que tu veux faire avec ça? dis-je en le lui rendant. C'est trop vieux. Ça ne peut plus servir.

« Il protesta que si; que, du reste, les guides plus récents coûtaient beaucoup trop cher, et que « pour ce qu'il en ferait » les cartes de celui-ci pourraient tout aussi bien lui servir. Je ne cherche pas à transcrire ses propres paroles, car elles perdraient leur caractère, dépouillées de l'extraordinaire accent faubourien qu'il y mettait et qui m'amusait d'autant plus que ses phrases n'étaient pas sans élégance (**32**).

. . . .

« Nécessaire d'abréger beaucoup cet épisode. La précision

1. Jeu d'enfants; 2. Environ 500 francs d'aujourd'hui; 3. *Adolphe Joanne* (1813-1881) : voyageur et géographe français, qui a fondé la première collection de guides français de tourisme, pour concurrencer les guides allemands de Baedeker.

ne doit pas être obtenue par le détail du récit, mais bien, dans l'imagination du lecteur, par deux ou trois traits, exactement à la bonne place. Je crois du reste qu'il y aurait intérêt à faire raconter tout cela par l'enfant; son point de vue est plus significatif que le mien. Le petit est à la fois gêné et flatté de l'attention que je lui porte. Mais la pesée de mon regard fausse un peu sa direction. Une personnalité trop tendre et inconsciente encore se défend et dérobe derrière une attitude. Rien n'est plus difficile à observer que les êtres en formation. Il faudrait pouvoir ne les regarder que de biais, de profil (**33**).

« Le petit déclara soudain que « ce qu'il aimait le mieux » c'était « la géographie ». Je soupçonnai que derrière cet amour se dissimulait un instinct de vagabondage.

« — Tu voudrais aller là-bas ? lui demandai-je.

« — Parbleu ! fit-il en haussant un peu les épaules.

« L'idée m'effleura qu'il n'était pas heureux auprès des siens. Je lui demandai s'il vivait avec ses parents. — Oui. — Et s'il ne se plaisait pas avec eux ? — Il protesta mollement. Il paraissait quelque peu inquiet de s'être trop découvert tout à l'heure. Il ajouta :

« — Pourquoi est-ce que vous me demandez ça ?

« — Pour rien, dis-je aussitôt; puis, touchant du bout du doigt le ruban jaune de sa boutonnière :

« — Qu'est-ce que c'est que ça ?

« — C'est un ruban; vous le voyez bien.

« Mes questions manifestement l'importunaient. Il se tourna brusquement vers moi, comme hostilement, et sur un ton gouailleur et insolent, dont je ne l'aurais jamais cru capable et qui proprement me décomposa :

« — Dites donc... ça vous arrive souvent de reluquer[1] les lycéens ?

« Puis, tandis que je balbutiais confusément un semblant de réponse, il ouvrit la serviette d'écolier qu'il portait sous son bras, pour y glisser son emplette. Là se trouvaient des livres de classe et quelques cahiers recouverts uniformément de papier bleu. J'en pris un; c'était celui d'un cours d'histoire. Le petit avait écrit, dessus, son nom en grosses lettres. Mon cœur bondit en y reconnaissant le nom de mon neveu :

« GEORGES MOLINIER (**34**). »

1. *Reluquer* (terme d'argot) : regarder avec convoitise.

[Édouard raconte ensuite qu'il est allé déjeuner chez sa demi-sœur Pauline, la mère de Vincent, d'Olivier et de Georges. Les deux aînés sont absents, mais le plus jeune, avec une hypocrisie confondante, fait semblant de ne pas reconnaître son oncle. Quant à Pauline, tout en faisant élever ses enfants dans la religion catholique, elle les a confiés aux parents de Laura, qui sont protestants et qui tiennent une maison d'éducation — la pension Vedel-Azaïs.]

XII

Journal d'Édouard
(suite)

[A la date du 2 novembre, Édouard fait le récit de sa rencontre avec Douviers, trois jours avant que celui-ci n'épouse Laura.]

« 5 novembre. — La cérémonie a eu lieu. Dans la petite chapelle de la rue Madame[1] où je n'étais pas retourné depuis longtemps. Famille Vedel-Azaïs au complet : grand-père, père et mère de Laura, ses deux sœurs et son jeune frère, plus nombre d'oncles, de tantes et de cousins. Famille Douviers représentée par trois tantes en grand deuil, dont le catholicisme eût fait trois nonnes, qui, d'après ce que l'on m'a dit, vivent ensemble, et avec qui vivait également Douviers depuis la mort de ses parents. Dans la tribune, les élèves de la pension. D'autres amis de la famille achevaient de remplir la salle, au fond de laquelle je suis resté; non loin de moi, j'ai vu ma sœur avec Olivier; Georges devait être dans la tribune avec des camarades de son âge. Le vieux La Pérouse à l'harmonium; son visage vieilli, plus beau, plus noble que jamais, mais son œil sans plus cette flamme admirable qui me communiquait sa ferveur, du temps de ses leçons de piano. Nos regards se sont croisés et j'ai senti, dans le sourire qu'il m'adressait, tant de tristesse que je me suis promis de le retrouver à la sortie. Des personnes ont bougé et une place auprès de Pauline s'est trouvée libre. Olivier m'a tout aussitôt fait signe, a poussé sa mère pour que je puisse m'asseoir à côté de lui; puis m'a pris la main et l'a longuement retenue dans la sienne. C'est la première fois qu'il agit aussi familièrement avec moi. Il a gardé les yeux fermés pendant presque toute l'interminable

1. Dans le VIe arrondissement, non loin du Luxembourg.

allocution du pasteur, ce qui m'a permis de le contempler longuement; il ressemble à ce pâtre endormi d'un bas-relief du musée de Naples, dont j'ai la photographie sur mon bureau. J'aurais cru qu'il dormait lui-même, sans le frémissement de ses doigts; sa main palpitait comme un oiseau dans la mienne.

« Le vieux pasteur a cru devoir retracer l'histoire de toute la famille, à commencer par celle du grand-père Azaïs, dont il avait été camarade de classe à Strasbourg avant la guerre, puis condisciple à la faculté de théologie. J'ai cru qu'il ne viendrait pas à bout d'une phrase compliquée où il tentait d'expliquer qu'en prenant la direction d'une pension et se dévouant à l'éducation de jeunes enfants, son ami[1] n'avait pour ainsi dire pas quitté le pastorat. Puis l'autre génération a eu son tour. Il a parlé également avec édification de la famille Douviers, dont il apparaissait qu'il ne connaissait pas grand-chose. L'excellence des sentiments palliait les défaillances oratoires et l'on entendait se moucher nombre de membres de l'assistance. J'aurais voulu savoir ce que pensait Olivier; je songeai qu'élevé en catholique, le culte protestant devait être nouveau pour lui et qu'il venait sans doute pour la première fois dans ce temple. La singulière faculté de dépersonnalisation qui me permet d'éprouver comme mienne l'émotion d'autrui, me forçait presque d'épouser les sensations d'Olivier, celles que j'imaginais qu'il devait avoir; et bien qu'il tînt les yeux fermés, ou peut-être à cause de cela même, il me semblait que je voyais à sa place et pour la première fois, ces murs nus, l'abstraite et blafarde lumière où baignait l'auditoire, le détachement cruel de la chaire sur le mur blanc du fond, la rectitude des lignes, la rigidité des colonnes qui soutiennent les tribunes, l'esprit même de cette architecture anguleuse et décolorée dont m'apparaissaient pour la première fois la disgrâce rébarbative, l'intransigeance et la parcimonie (**35**). Pour n'y avoir point été sensible plus tôt, il fallait que j'y fusse habitué dès l'enfance... Je repensai soudain à mon éveil religieux et à mes premières ferveurs; à Laura et à cette école du dimanche où nous nous retrouvions, moniteurs tous deux, pleins de zèle et discernant mal, dans cette ardeur qui consumait en nous tout l'impur, ce qui appartenait à l'autre

1. Le vieux Azaïs, grand-père de la jeune mariée.

et ce qui revenait à Dieu. Et je me pris tout aussitôt à me désoler qu'Olivier n'eût point connu ce premier dénuement sensuel qui jette l'âme si périlleusement loin au-dessus des apparences, qu'il n'eût pas de souvenirs pareils aux miens; mais, de le sentir étranger à tout ceci, m'aidait à m'en évader moi-même. Passionnément, je serrai cette main qu'il abandonnait toujours dans la mienne, mais qu'à ce moment il retira brusquement. Il rouvrit les yeux pour me regarder, puis avec un sourire d'une espièglerie tout enfantine, que tempérait l'extraordinaire gravité de son front, il chuchota, penché vers moi — tandis que le pasteur précisément, rappelant les devoirs de tous les chrétiens, prodiguait aux nouveaux époux conseils, préceptes et pieuses objurgations :

« — Moi, je m'en fous : je suis catholique.

« Tout en lui m'attire et me demeure mystérieux.

« A la porte de la sacristie, j'ai retrouvé le vieux La Pérouse. Il m'a dit un peu tristement, mais sur un ton où n'entrait nul reproche :

« — Vous m'oubliez un peu, je crois.

« Prétexté je ne sais quelles occupations pour m'excuser d'être resté si longtemps sans le voir; promis pour après-demain ma visite. J'ai cherché à l'entraîner chez les Azaïs, convié moi-même au thé qu'ils donnent après la cérémonie; mais il m'a dit qu'il se sentait d'humeur trop sombre et craignait de rencontrer trop de gens avec qui il eût dû, mais n'eût pu causer.

« Pauline a emmené Georges; m'a laissé avec Olivier :

« — Je vous le confie, m'a-t-elle dit en riant; ce qui a paru agacer un peu Olivier, dont le visage s'est détourné. Il m'a entraîné dans la rue :

« — Je ne savais pas que vous connaissiez si bien les Azaïs?

« Je l'ai beaucoup surpris en lui disant que j'avais pris pension chez eux pendant deux ans.

« — Comment avez-vous pu préférer cela à n'importe quel autre arrangement de vie indépendante?

« — J'y trouvais quelque commodité, ai-je répondu vaguement, ne pouvant lui dire qu'en ce temps Laura occupait ma pensée et que j'aurais accepté les pires régimes pour le contentement de les supporter auprès d'elle.

« — Et vous n'étouffiez pas dans l'atmosphère de cette boîte?

« Puis, comme je ne répondais rien :

« — Au reste, je ne sais pas trop comment je la supporte moi-même, ni comment il se fait que j'y suis... Mais demi-pensionnaire seulement. C'est déjà trop.

« J'ai dû lui expliquer l'amitié qui liait au directeur de cette « boîte » son grand-père, dont le souvenir dicta le choix de sa mère plus tard.

« — D'ailleurs, ajouta-t-il, je manque de points de comparaison; et sans doute tous ces chauffoirs se valent; je crois même volontiers, d'après ce qu'on m'a dit, que la plupart des autres sont pires. N'empêche que je serai content d'en sortir. Je n'y serais pas entré du tout si je n'avais pas eu à rattraper le temps où j'ai été malade. Et depuis longtemps, je n'y retourne plus que par amitié pour Armand.

« J'appris alors que ce jeune frère de Laura était son condisciple. Je dis à Olivier que je ne le connaissais presque pas.

« — C'est pourtant le plus intelligent et le plus intéressant de la famille.

« — C'est-à-dire celui auquel tu t'es le plus intéressé.

« — Non, non; je vous assure qu'il est très curieux. Si vous voulez, nous irons causer un peu avec lui dans sa chambre. J'espère qu'il osera parler devant vous.

« Nous étions arrivés devant la pension.

« Les Vedel-Azaïs avaient remplacé le traditionnel repas de noces par un simple thé moins dispendieux. Le parloir et le bureau du pasteur Vedel[1] étaient ouverts à la foule des invités. Seuls quelques rares intimes avaient accès dans l'exigu salon particulier de la pastoresse; mais, pour éviter l'envahissement, on avait condamné la porte entre le parloir et ce salon, ce qui faisait Armand répondre à ceux qui lui demandaient par où l'on pouvait rejoindre sa mère :

« — Par la cheminée (**36**).

« Il y avait foule. On crevait de chaleur. A part quelques « membres du corps enseignant », collègues de Douviers, société presque exclusivement protestante. Odeur puritaine très spéciale. L'exhalaison est aussi forte, et peut-être plus asphyxiante encore, dans les meetings catholiques ou juifs, dès qu'entre eux ils se laissent aller; mais on trouve plus souvent parmi les catholiques une appréciation, parmi les

1. Père de Laura.

juifs une dépréciation de soi-même, dont les protestants ne me semblent capables que bien rarement. Si les juifs ont le nez trop long, les protestants, eux, ont le nez bouché; c'est un fait. Et moi-même je ne m'aperçus point de la particulière qualité de cette atmosphère aussi longtemps que j'y demeurai plongé. Je ne sais quoi d'ineffablement alpestre, paradisiaque et niais (**37**).

« Dans le fond de la salle, une table dressée en buffet; Rachel, sœur aînée de Laura, et Sarah, sa sœur cadette, secondées par quelques jeunes filles à marier, leurs amies, offraient le thé...

« Laura, dès qu'elle m'a vu, m'a entraîné dans le bureau de son père, où se tenait déjà tout un synode[1]. Réfugiés dans l'embrasure d'une fenêtre, nous avons pu causer sans être entendus. Sur le bord du chambranle, nous avions jadis inscrit nos deux noms.

« — Venez voir. Ils y sont toujours, me dit-elle. Je crois bien que personne ne les a remarqués. Quel âge aviez-vous alors ?

« Au-dessus des noms, nous avions inscrit une date. Je calculai :

« — Vingt-huit ans.

« — Et moi seize. Il y a dix ans de cela (**38**). »

[Laura et Édouard évoquent alors d'anciens souvenirs. Notamment l'étrange figure de Strouvilhou, un pensionnaire libre, qui tourmentait beaucoup les parents de la jeune femme et que finalement le vieil Azaïs a mis à la porte. Le romancier saisit là l'occasion de faire le portrait du vieillard, puis du pasteur Vedel et de sa femme, non sans souligner, dans leur caractère à tous les trois, une candeur voisine de l'aveuglement et dont il rend responsable leur dévotion. La vie familiale lui inspire également quelques observations vengeresses, qu'il compte utiliser dans son prochain roman.

De leur côté, Olivier et Sarah, sœur cadette de Laura, ont profité de la cérémonie pour boire plus que de raison et se mettre à flirter. Ce flirt provoque la jalousie d'Édouard, qui découvre à quel point il s'est attaché à son neveu.]

1. *Synode* : assemblée d'ecclésiastiques, réunis pour débattre une affaire importante. Ici le mot comporte une nuance ironique.

XIII

Journal d'Édouard
(suite)

[8 novembre. — Édouard rend visite au vieux La Pérouse, qui jadis lui enseigna le piano. Le vieillard n'a presque plus d'élèves et se trouve dans un état voisin de la misère. D'autre part, il ne s'entend plus du tout avec sa femme. Un seul lien le rattache encore à l'existence : un petit-fils de treize ans, Boris, qui est né en Pologne et qu'il adore sans d'ailleurs l'avoir jamais vu.

10 novembre. — Édouard exprime le grand élan qui le pousse vers Olivier.

12 novembre. — Pour combattre cet élan, il décide de partir pour Londres.]

XIV

[Bernard, après avoir lu le *Journal* d'Édouard, ressent le désir de faire la connaissance de Laura et va la trouver. Une immédiate sympathie se noue entre eux. Mais une imprudence du jeune homme révèle bientôt à Édouard, venu également rendre visite à Laura, que Bernard est le détenteur de sa valise perdue.

Loin d'en vouloir à son voleur, le romancier l'engage comme secrétaire.]

XV

[Le comte de Passavant, l'auteur du roman intitulé *la Barre fixe*, a l'intention de fonder une revue littéraire, dont il ferait « une plate-forme de ralliement pour la jeunesse ». Il offre à Olivier, dont il sait qu'il fait des vers, d'en assumer la direction.

Puis il reçoit la visite d'un certain Strouvilhou.]

XVI

[Vincent, qui n'a pas abandonné Laura sans malaise, confesse ses remords à lady Griffith. La belle Anglaise le morigène assez vertement, et lui propose de l'aider à quitter la médecine pour lui permettre de se consacrer entièrement aux sciences naturelles, vers lesquelles il se sent attiré. Puis les deux amants partent dîner en compagnie de Robert de Passavant.]

XVII

[Au cours du repas, Vincent expose quelques théories d'histoire naturelle. Passavant l'écoute docilement, mais ce n'est que pour lui demander un service; il voudrait emmener Olivier en voyage et souhaite que Vincent persuade ses parents de laisser partir son frère avec le romancier.]

Journal d'Édouard

[...] « Visite au vieux La Pérouse. C'est madame de La Pérouse qui est venue m'ouvrir. Il y avait plus de deux ans que je ne l'avais revue; elle m'a pourtant aussitôt reconnu. (Je ne pense pas qu'ils reçoivent beaucoup de visites.) Du reste, très peu changée elle-même; mais (est-ce parce que je suis prévenu contre elle), ses traits m'ont paru plus durs, son regard plus aigre, son sourire plus faux que jamais.

« — Je crains que monsieur de La Pérouse ne soit pas en état de vous recevoir, m'a-t-elle dit aussitôt, manifestement désireuse de m'accaparer; puis, usant de sa surdité pour répondre sans que je l'aie questionnée :

« — Mais non, mais non, vous ne me dérangez pas du tout. Entrez seulement.

« Elle m'introduisit dans la pièce où La Pérouse a coutume de donner ses leçons, qui ouvre ses deux fenêtres sur la cour. Et dès que je fus chambré (**39**) :

« — Je suis particulièrement heureuse de pouvoir vous parler un instant seul à seule. L'état de monsieur de La Pérouse, pour qui je connais votre vieille et fidèle amitié, m'inquiète beaucoup. Vous qu'il écoute, ne pourriez-vous pas lui persuader qu'il se soigne? Pour moi, tout ce que je lui répète, c'est comme si je chantais Marlborough.

« Et elle entra là-dessus dans des récriminations infinies : Le vieux refuse de se soigner par seul besoin de la tourmenter. Il fait tout ce qu'il ne devrait pas faire, et ne fait rien de ce qu'il faudrait. Il sort par tous les temps, sans jamais consentir à mettre un foulard. Il refuse de manger aux repas : « Monsieur n'a pas faim », et elle ne sait quoi inventer pour stimuler son appétit; mais la nuit, il se relève, et met sens dessus dessous la cuisine pour se fricoter on ne sait quoi.

« La vieille, à coup sûr, n'inventait rien; je comprenais, à travers son récit, que l'interprétation de menus gestes innocents seule leur conférait une signification offensante, et quelle ombre monstrueuse la réalité projetait sur la paroi de cet étroit cerveau. Mais le vieux de son côté ne mésinterprétait-il pas tous les soins, toutes les attentions de la vieille, qui se croyait martyre, et dont il se faisait un bourreau? Je renonce à les juger, à les comprendre; ou plutôt, comme il advient toujours, mieux je les comprends et plus mon jugement sur eux se tempère. Il reste que voici deux êtres, attachés l'un à l'autre pour la vie, et qui se font abominablement souffrir. J'ai souvent remarqué, chez des conjoints, quelle intolérable irritation entretient chez l'un la plus petite protubérance du caractère de l'autre, parce que la « vie commune » fait frotter celle-ci toujours au même endroit. Et si le frottement est réciproque, la vie conjugale n'est plus qu'un enfer (**40**).

« Sous sa perruque à bandeaux noirs qui durcit les traits de son visage blafard, avec ses longues mitaines noires d'où sortent des petits doigts comme des griffes, madame de La Pérouse prenait un aspect de harpie.

« — Il me reproche de l'espionner, continua-t-elle. Il a toujours eu besoin de beaucoup de sommeil; mais la nuit, il fait semblant de se coucher, et, quand il me croit bien endormie, il se relève; il farfouille dans de vieux papiers, et parfois s'attarde jusqu'au matin à relire en pleurant d'anciennes lettres de feu son frère. Il veut que je supporte tout cela sans rien dire!

« Puis elle se plaignit que le vieux voulût la faire entrer dans une maison de retraite; ce qui lui serait d'autant plus pénible, ajoutait-elle, qu'il était parfaitement incapable de vivre seul et de se passer de ses soins. Ceci était dit sur un ton apitoyé qui respirait l'hypocrisie.

« Tandis qu'elle poursuivait ses doléances, la porte du salon s'est doucement ouverte derrière elle et La Pérouse, sans qu'elle l'entendît, a fait son entrée. Aux dernières phrases de son épouse, il m'a regardé en souriant ironiquement, et a porté une main à son front, signifiant qu'elle était folle. Puis, avec une impatience, une brutalité même, dont je ne l'aurais pas cru capable, et qui semblait justifier les accusations de la vieille (mais due aussi au diapason qu'il devait prendre pour se faire entendre d'elle) :

« Allons, Madame! vous devriez comprendre que vous fatiguez Monsieur avec vos discours. Ce n'est pas vous que mon ami venait voir. Laissez-nous.

« La vieille alors a protesté que le fauteuil sur lequel elle restait assise était à elle, et qu'elle ne le quitterait pas.

« — Dans ce cas, reprit La Pérouse en ricanant, si vous le permettez, c'est nous qui sortirons. Puis, tourné vers moi, et sur un ton tout radouci :

« — Venez! laissons-la.

« J'ai ébauché un salut gêné et l'ai suivi dans la pièce voisine, celle même où il m'avait reçu la dernière fois.

« — Je suis heureux que vous ayez pu l'entendre, m'a-t-il dit. Eh bien, c'est comme cela tout le long du jour.

« Il alla fermer les fenêtres :

« — Avec le vacarme de la rue, on ne s'entend plus. Je passe mon temps à refermer ces fenêtres, que madame de La Pérouse passe son temps à rouvrir. Elle prétend qu'elle étouffe. Elle exagère toujours. Elle refuse de se rendre compte qu'il fait plus chaud dehors que dedans. J'ai là pourtant un petit thermomètre; mais quand je le lui montre, elle me dit que les chiffres ne prouvent rien. Elle veut avoir raison, même quand elle sait qu'elle a tort. La grande affaire pour elle, c'est de me contrarier.

« Il me parut, cependant qu'il parlait, qu'il n'était pas en parfait équilibre lui-même; il reprit, dans une exaltation croissante :

« — Tout ce qu'elle fait de travers dans la vie, c'est à moi qu'elle en fait grief. Ses jugements sont tous faussés. Ainsi, tenez; je m'en vais vous faire comprendre : Vous savez que les images du dehors arrivent renversées dans notre cerveau, où un appareil nerveux les redresse. Eh bien, madame de La Pérouse, elle, n'a pas d'appareil rectificateur. Chez elle, tout reste à l'envers. Vous jugez si c'est pénible.

« Il éprouvait certainement un soulagement à s'expliquer, et je me gardais de l'interrompre. Il continuait :

« — Madame de La Pérouse a toujours beaucoup trop mangé. Eh bien, elle prétend que c'est moi qui mange trop. Tout à l'heure, si elle me voit avec un morceau de chocolat (c'est ma principale nourriture), elle va murmurer : — « Tou-« jours en train de grignoter!... » Elle me surveille. Elle m'accuse de me relever la nuit pour manger en cachette, parce qu'une fois elle m'a surpris en train de me préparer une tasse de chocolat, à la cuisine... Que voulez-vous? De la voir à table, en face de moi, se jeter sur les plats, cela m'enlève tout appétit. Alors, elle prétend que je fais le difficile, par besoin de la tourmenter (**41**).

« Il prit un temps, et dans une sorte d'élan lyrique :

« — Je suis dans l'admiration des reproches qu'elle me fait!... Ainsi, lorsqu'elle souffre de sa sciatique, je la plains. Alors elle m'arrête; elle hausse les épaules : « Ne faites

Marc de la Nux

qui enseigna le piano à A. Gide et servit en partie de modèle au personnage de La Pérouse (v. Notice p. 17).

(Document extrait de *la Vie de André Gide*, coll. « Albums photographiques », éd. Gallimard).

Phot. H. Martinie.

André Gide

« donc pas semblant d'avoir du cœur. » Et tout ce que je fais ou dis, c'est pour la faire souffrir.

« Nous nous étions assis; mais il se relevait, puis se rasseyait aussitôt, en proie à une maladive inquiétude :

« — Imagineriez-vous que, dans chacune de ces pièces, il y a des meubles qui sont à elle et d'autres qui sont à moi? Vous l'avez vue tout à l'heure avec son fauteuil. Elle dit à la femme de journée, lorsque celle-ci fait le ménage : « Non; ceci est à Monsieur; n'y touchez pas. » Et comme, l'autre jour, par mégarde, j'avais posé un cahier de musique relié sur un guéridon qui est à elle, Madame l'a flanqué à terre. Les coins se sont cassés... Oh! cela ne pourra plus durer longtemps... Mais, écoutez...

« Il m'a saisi le bras et, baissant la voix :

« — J'ai pris mes mesures. Elle me menace continuellement, « si je continue », d'aller chercher refuge dans une maison de retraite. J'ai mis de côté une certaine somme qui doit suffire à payer sa pension à Sainte-Périne[1]; on dit que c'est ce qu'il y a de mieux. Les quelques leçons que je donne encore ne me rapportent presque plus. Dans quelque temps, mes ressources seront à bout; je me verrais forcé d'entamer cette somme; je ne veux pas. Alors j'ai pris une résolution... Ce sera dans un peu plus de trois mois. Oui; j'ai marqué la date. Si vous saviez quel soulagement j'éprouve à songer que chaque heure désormais m'en rapproche.

« Il s'était penché vers moi; il se pencha plus encore :

« — J'ai également mis de côté un titre de rentes. Oh! ce n'est pas grand-chose; mais je ne pouvais pas faire plus. Madame de La Pérouse ne le sait pas. Il est dans mon secrétaire, sous une enveloppe à votre nom, avec les instructions nécessaires. Puis-je compter sur vous pour m'aider? Je ne connais rien aux affaires, mais un notaire à qui j'ai parlé m'a dit que la rente en pourrait être versée directement à mon petit-fils, jusqu'à sa majorité, et qu'alors il entrerait en possession du titre. J'ai pensé que ce ne serait pas trop demander à votre amitié de veiller à ce que cela soit exécuté. Je me méfie tellement des notaires!... Et même, si vous vouliez me tranquilliser, vous accepteriez de prendre aussitôt avec vous cette enveloppe... Oui, n'est-ce pas?... Je vais vous la chercher.

1. *Sainte-Périne :* maison de retraite pour les vieillards à Paris (quartier d'Auteuil); la pension y est assez chère.

« Il sortit en trottinant selon son habitude, et reparut avec une grande enveloppe à la main.

« — Vous m'excuserez de l'avoir cachetée; c'est pour la forme. Prenez-la.

« J'y jetai les yeux et lus, au-dessous de mon nom, en caractères calligraphiés : « A OUVRIR APRÈS MA MORT. »

« — Mettez-la vite dans votre poche, que je la sache en sûreté. Merci... Ah! je vous attendais tellement!...

« J'ai souvent éprouvé qu'en un instant aussi solennel, toute émotion humaine peut, en moi, faire place à une transe[1] quasi mystique, une sorte d'enthousiasme, par quoi mon être se sent magnifié; ou plus exactement : libéré de ses attaches égoïstes, comme dépossédé de lui-même et dépersonnalisé. Celui qui n'a pas éprouvé cela, ne saurait certes me comprendre. Mais je sentais que La Pérouse le comprenait. Toute protestation de ma part eût été superflue, m'eût paru mal séante et je me contentai de serrer fortement la main qu'il abandonna dans la mienne. Ses yeux brillaient d'un étrange éclat (**42**). Dans l'autre main, celle qui d'abord tenait l'enveloppe, il gardait un autre papier :

« — J'ai inscrit ici son adresse. Car je sais où il est, maintenant. « Saas-Fée. » Connaissez-vous cela? C'est en Suisse. J'ai cherché sur la carte, mais je n'ai pu trouver.

« — Oui, dis-je. C'est un petit village près du Cervin.

« — Est-ce que c'est très loin?

« — Pas si loin que je n'y puisse aller, peut-être.

« — Quoi! vous feriez cela?... Oh! que vous êtes bon, dit-il. Pour moi, je suis trop vieux. Et puis je ne peux pas, à cause de la mère... Pourtant il me semble que je... Il hésita, cherchant le mot; reprit : — que je m'en irais plus facilement, si seulement j'avais pu le voir.

« — Mon pauvre ami... Tout ce qu'il est humainement possible de faire pour vous l'amener, je le ferai. Vous verrez le petit Boris, je vous le promets.

« — Merci... Merci...

« Il me serrait convulsivement dans ses bras.

« — Mais promettez-moi de ne plus penser à... (**43**)

« — Oh! cela c'est autre chose, dit-il en m'interrompant brusquement. [...]

1. État d'un médium qui cède son enveloppe matérielle a l'esprit d'une personne décédée, dès que celui-ci commence à se manifester.

SECONDE PARTIE

SAAS-FEE

I

[Bernard écrit à Olivier pour lui annoncer qu'il est parti pour la Suisse, en compagnie d'Édouard et de Laura. Tout en lui donnant les raisons de ce voyage, il fait l'éloge de ses deux compagnons, notamment de Laura, de qui il est tombé éperdument amoureux.

A la lecture de cette lettre, Olivier, saisi de dépit, se précipite chez Robert de Passavant.]

II

[Dans son *Journal*, Édouard raconte qu'il a retrouvé, à Saas-Fee, le petit Boris. Mais l'enfant, qui souffre d'une sorte de névrose, a été confié par sa mère à une doctoresse polonaise, fort entichée de psychanalyse, Mme Sophroniska. La doctoresse essaie de guérir Boris par les moyens de la thérapeutique freudienne, et aussi en le laissant se promener librement en compagnie de sa fille, âgée de quinze ans, Bronja, pour qui le petit garçon éprouve une espèce d'adoration et à qui il obéit sans résistance.]

III

[Édouard a de fréquents entretiens avec Mme Sophroniska. Un jour, sur la prière de la doctoresse, elle-même « encouragée par Bernard et Laura », qui forment un peu bloc contre lui, il est conduit à révéler ses idées sur le roman.]

« Est-ce parce que, de tous les genres littéraires, discourait Édouard, le roman reste le plus libre, le plus *lawless*[1]..., est-ce peut-être pour cela, par peur de cette liberté même (car les artistes qui soupirent le plus après la liberté, sont les plus affolés souvent, dès qu'ils l'obtiennent) que le roman, toujours, s'est si craintivement cramponné à la réalité ? Et je ne parle pas seulement du roman français. Tout aussi bien que le roman anglais le roman russe, si échappé qu'il soit de la contrainte, s'asservit à la ressemblance. Le seul progrès qu'il envisage, c'est de se rapprocher encore plus du naturel. Il n'a jamais connu, le roman, cette

1. Mot anglais : sans loi, qui n'obéit à aucune loi.

« formidable érosion des contours », dont parle Nietzsche[1], et ce volontaire écartement de la vie, qui permirent le style, aux œuvres des dramaturges grecs par exemple, ou aux tragédies du XVIIe siècle français (**44**). Connaissez-vous rien de plus parfait et de plus profondément humain que ces œuvres ? Mais précisément, cela n'est humain que profondément; cela ne se pique pas de le paraître, ou du moins de paraître réel. Cela demeure une œuvre d'art. »

Édouard s'était levé, et, par grande crainte de paraître faire un cours, tout en parlant il versait le thé, puis allait et venait, puis pressait un citron dans sa tasse, mais tout de même continuait :

« Parce que Balzac était un génie, et parce que tout génie semble apporter à son art une solution définitive et exclusive, l'on a décrété que le propre du roman était de faire « concurrence à l'état civil[2] ». Balzac avait édifié son œuvre; mais il n'avait jamais prétendu codifier le roman; son article sur Stendhal[3] le montre bien. Concurrence à l'état civil! Comme s'il n'y avait pas déjà suffisamment de magots et de paltoquets[4] sur la terre! Qu'ai-je affaire à l'état civil! L'état c'est moi[5], l'artiste! civile ou pas, mon œuvre prétend ne concurrencer rien. »

Édouard qui se chauffait, un peu facticement peut-être, se rassit. Il affectait de ne regarder point Bernard; mais c'était pour lui qu'il parlait. Seul avec lui, il n'aurait rien su dire; il était reconnaissant à ces deux femmes de le pousser.

« Parfois il me paraît que je n'admire en littérature rien tant que, par exemple, dans Racine, la discussion entre Mithridate et ses fils[6]; où l'on sait parfaitement bien que jamais un père et des fils n'ont pu parler de la sorte, et où néanmoins (et je devrais dire : d'autant plus) tous les pères et tous les fils peuvent se reconnaître. En localisant et en spécifiant, l'on restreint. Il n'y a de vérité psychologique que particulière, il est vrai; mais il n'y a d'art que général. Tout le problème est là, précisément; exprimer le général

1. *Nietzsche* (1844-1900); philosophe allemand, auteur notamment d'un ouvrage sur l'*Origine de la tragédie ;* **2.** C'est dans la préface de 1842 à la *Comédie humaine* que Balzac employa cette expression; **3.** Il s'agit de l'article sur *la Chartreuse de Parme*, paru dans la *Revue parisienne* du 25 septembre 1840; **4.** Termes familiers visant, le premier, les gens laids, le second, les imbéciles; **5.** Parodie plaisante du mot attribué à Louis XIV : « L'État, c'est moi »; **6.** *Mithridate :* acte III, sc. 1re.

par le particulier; faire exprimer par le particulier le général. Vous permettez que j'allume ma pipe?

— Faites donc, faites donc, dit Sophroniska.

— Eh bien, je voudrais un roman qui serait à la fois aussi vrai, et aussi éloigné de la réalité, aussi particulier et aussi général à la fois, aussi humain et aussi fictif qu'*Athalie*, que *Tartuffe* ou que *Cinna* (**45**).

— Et... le sujet de ce roman?

— Il n'en a pas, repartit Édouard brusquement; et c'est là ce qu'il a de plus étonnant peut-être. Mon roman n'a pas de sujet. Oui, je sais bien; ça a l'air stupide ce que je dis là. Mettons si vous préférez qu'il n'y aura pas *un* sujet... « Une tranche de vie », disait l'école naturaliste. Le grand défaut de cette école, c'est de couper sa tranche toujours dans le même sens; dans le sens du temps, en longueur. Pourquoi pas en largeur? ou en profondeur? Pour moi, je voudrais ne pas couper du tout. Comprenez-moi : je voudrais tout y faire entrer, dans ce roman. Pas de coup de ciseaux pour arrêter, ici plutôt que là, sa substance. Depuis plus d'un an que j'y travaille il ne m'arrive rien que je n'y verse, et que je n'y veuille faire entrer : ce que je vois, ce que je sais, tout ce que m'apprend la vie des autres et la mienne...

— Et tout cela stylisé? dit Sophroniska, feignant l'attention la plus vive, mais sans doute avec un peu d'ironie. Laura ne put réprimer un sourire. Édouard haussa légèrement les épaules et reprit :

— Et ce n'est même pas cela que je veux faire. Ce que je veux, c'est présenter d'une part la réalité, présenter d'autre part cet effort pour la styliser (**46**), dont je vous parlais tout à l'heure.

— Mon pauvre ami, vous ferez mourir d'ennui vos lecteurs, dit Laura; ne pouvant plus cacher son sourire, elle avait pris le parti de rire vraiment.

— Pas du tout. Pour obtenir cet effet, suivez-moi, j'invente un personnage de romancier, que je pose en figure centrale (**47**); et le sujet du livre, si vous voulez, c'est précisément la lutte entre ce que lui offre la réalité et ce que, lui, prétend en faire.

— Si, si; j'entrevois, dit poliment Sophroniska, que le rire de Laura était bien près de gagner. — Ce pourrait être assez curieux. Mais, vous savez, dans les romans, c'est toujours dangereux de présenter des intellectuels. Ils assomment le public; on ne parvient à leur faire dire que des âneries, et, à tout ce qui les touche, ils communiquent un air abstrait.

— Et puis je vois très bien ce qui va arriver, s'écria Laura : dans ce romancier, vous ne pourrez faire autrement que de vous peindre. »

Elle avait pris, depuis quelque temps, en parlant à Édouard, un ton persifleur qui l'étonnait elle-même, et qui désarçonnait Édouard d'autant plus qu'il en surprenait un reflet dans les regards malicieux de Bernard. Édouard protesta :

« Mais non; j'aurai besoin de le faire très désagréable. »

Laura était lancée :

« C'est cela : tout le monde vous y reconnaîtra, dit-elle en éclatant d'un rire si franc qu'il entraîna celui des trois autres.

— Et le plan de ce livre est fait? demanda Sophroniska, en tâchant de reprendre son sérieux.

— Naturellement pas.

— Comment! naturellement pas?

— Vous devriez comprendre qu'un plan, pour un livre de ce genre, est essentiellement inadmissible. Tout y serait faussé si j'y décidais rien par avance. J'attends que la réalité me le dicte.

— Mais je croyais que vous vouliez vous écarter de la réalité.

— Mon romancier voudra s'en écarter; mais moi je l'y ramènerai sans cesse. A vrai dire, ce sera là le sujet : la lutte entre les faits proposés par la réalité, et la réalité idéale. »

L'illogisme de son propos était flagrant, sautait aux yeux d'une manière pénible. Il apparaissait clairement que, sous son crâne, Édouard abritait deux exigences inconciliables, et qu'il s'usait à les vouloir accorder.

« Et c'est très avancé? demanda poliment Sophroniska.

— Cela dépend de ce que vous entendez par là. A vrai dire, du livre même, je n'ai pas encore écrit une ligne. Mais j'y ai déjà beaucoup travaillé. J'y pense chaque jour et sans cesse. J'y travaille d'une façon très curieuse, que je m'en vais vous dire : sur un carnet, je note au jour le jour l'état de ce roman dans mon esprit; oui, c'est une sorte de journal que je tiens, comme on ferait celui d'un enfant... C'est-à-dire qu'au lieu de me contenter de résoudre, à mesure qu'elle se propose, chaque difficulté (et toute œuvre d'art n'est que la somme ou le produit des solutions d'une quantité de menues difficultés successives), chacune de ces difficultés, je l'expose, je l'étudie. Si vous voulez, ce carnet contient la critique continue de mon roman; ou mieux : du roman en général. Songez à l'intérêt qu'aurait pour nous un semblable carnet tenu par Dickens, ou Balzac; si nous avions le journal de *L'Éducation sentimentale*[1], ou des *Frères Karamazof!*[2] l'histoire de l'œuvre, de sa gestation! Mais ce serait passionnant... plus intéressant que l'œuvre elle-même (**48**)... »

Édouard espérait confusément qu'on lui demanderait de lire ces notes. Mais aucun des trois autres ne manifesta la moindre curiosité. Au lieu de cela :

« Mon pauvre ami, dit Laura avec un accent de tristesse; ce roman, je vois bien que jamais vous ne l'écrirez.

— Eh bien, je vais vous dire une chose, s'écria dans un élan impétueux Édouard : ça m'est égal. Oui, si je ne parviens pas à l'écrire, ce livre, c'est que l'histoire du livre m'aura plus intéressé que le livre lui-même; qu'elle aura pris sa place; et ce sera tant mieux. »

[Sophroniska présente à son tour des objections à Édouard, sans faire beaucoup avancer la discussion.]

Bernard, qui jusqu'à ce moment avait gardé le silence, mais qui commençait à s'impatienter sur sa chaise, à la fin n'y tint plus; avec une déférence extrême, exagérée même, comme chaque fois qu'il adressait la parole à Édouard, mais avec cette sorte d'enjouement qui semblait faire de cette déférence un jeu :

« Pardonnez-moi, Monsieur, dit-il, de connaître le titre de votre livre, puisque c'est par une indiscrétion, mais sur laquelle vous avez bien voulu, je crois, passer l'éponge. Ce titre pourtant semblait annoncer une histoire...?

— Oh! dites-nous ce titre, dit Laura.

— Ma chère amie, si vous voulez... Mais je vous avertis qu'il est possible que j'en change. Je crains qu'il ne soit un peu trompeur (**49**)... Tenez, dites-le-leur, Bernard.

— Vous permettez?... *Les Faux-Monnayeurs*, dit Bernard

1. Roman de Flaubert (1869); **2.** Roman de Dostoïevsky (1879-1880).

Mais maintenant, à votre tour, dites-nous : ces faux-monnayeurs... qui sont-ils ?

— Eh bien ? je n'en sais rien », dit Édouard.

Bernard et Laura se regardèrent, puis regardèrent Sophroniska ; on entendit un long soupir ; je crois qu'il fut poussé par Laura.

A vrai dire, c'est à certains de ses confrères qu'Édouard pensait d'abord, en pensant aux faux-monnayeurs ; et singulièrement au vicomte de Passavant. Mais l'attribution s'était bientôt considérablement élargie ; suivant que le vent de l'esprit soufflait ou de Rome ou d'ailleurs, ses héros tour à tour devenaient prêtres ou francs-maçons. Son cerveau, s'il l'abandonnait à sa pente, chavirait vite dans l'abstrait, où il se vautrait tout à l'aise. Les idées de change, de dévalorisation, d'inflation, peu à peu envahissaient son livre, comme les théories du vêtement le *Sartor Resartus*[1] de Carlyle — où elles usurpaient la place des personnages. Édouard ne pouvant parler de cela, se taisait de la manière la plus gauche, et son silence, qui semblait un aveu de disette, commençait à gêner beaucoup les trois autres.

« Vous est-il arrivé déjà de tenir entre les mains une pièce fausse ? demanda-t-il enfin.

— Oui, dit Bernard ; mais le « non » des deux femmes couvrit sa voix.

— Eh bien, imaginez une pièce d'or de dix francs qui soit fausse. Elle ne vaut en réalité que deux sous. Elle vaudra dix francs tant qu'on ne reconnaîtra pas qu'elle est fausse. Si donc je pars de cette idée que...

— Mais pourquoi partir d'une idée ? interrompit Bernard impatienté. Si vous partiez d'un fait bien exposé, l'idée viendrait l'habiter d'elle-même. Si j'écrivais *les Faux-Monnayeurs*, je commencerais par présenter la pièce fausse, cette petite pièce dont vous parliez à l'instant... et que voici. »

Ce disant, il saisit dans son gousset une petite pièce de dix francs, qu'il jeta sur la table.

« Écoutez comme elle sonne bien. Presque le même son que les autres. On jurerait qu'elle est en or. J'y ai été pris ce matin, comme l'épicier qui me la passait y fut pris,

1. Œuvre autobiographique (1833-1834) de l'écrivain anglais Thomas Carlyle (1795-1881). L'auteur y développe cette idée que les institutions sociales et les mœurs ont une valeur aussi accidentelle que les vêtements. D'où le titre, qui signifie, à peu près : *Tailleur retaillant de vieux habits*.

m'a-t-il dit, lui-même. Elle n'a pas tout à fait le poids, je crois ; mais elle a l'éclat et presque le son d'une vraie pièce ; son revêtement est en or, de sorte qu'elle vaut pourtant un peu plus que deux sous ; mais elle est en cristal. A l'usage, elle va devenir transparente. Non, ne la frottez pas ; vous me l'abîmeriez. Déjà l'on voit presque au travers. »

Édouard l'avait saisie et la considérait avec la plus attentive curiosité.

« Mais de qui l'épicier la tient-il ?

— Il ne sait plus. Il croit qu'il l'a depuis plusieurs jours dans son tiroir. Il s'amusait à me la passer, pour voir si j'y serais pris. J'allais l'accepter, ma parole ! mais, comme il est honnête, il m'a détrompé ; puis me l'a laissée pour cinq francs. Il voulait la garder pour la montrer à ce qu'il appelle « les amateurs ». J'ai pensé qu'il ne saurait y en avoir de meilleur que l'auteur des *Faux-Monnayeurs ;* et c'est pour vous la montrer que je l'ai prise. Mais maintenant que vous l'avez examinée, rendez-la-moi ! Je vois, hélas ! que la réalité ne vous intéresse pas.

— Si, dit Édouard ; mais elle me gêne (**50**).

— C'est dommage », reprit Bernard.

Journal d'Édouard

[...] « Découvert sur le registre des voyageurs le nom de Victor Strouvilhou. D'après les renseignements du patron de l'hôtel, il a dû quitter Saas-Fee l'avant-veille de notre arrivée, après être resté ici près d'un mois. J'aurais été curieux de le revoir. Sophroniska l'a sans doute fréquenté. Il faudra que je l'interroge (**51**). »

IV

[Dialogue sentimental entre Bernard et Laura : celle-ci est décidée à retourner auprès de Douviers, son mari, qui lui pardonne. Bernard s'attriste à l'idée de ce départ. Et il demande à Laura s'il ne devrait pas lui-même retourner chez son père :]

— Est-ce que vous trouvez que je devrais implorer son pardon, retourner près de lui ?

— Non, dit Laura.

— Pourquoi ? Si vous, vous retournez près de Douviers...

— Vous me disiez tout à l'heure, ce qui est vrai pour l'un ne l'est pas pour un autre. Je me sens faible; vous êtes fort. Monsieur Profitendieu peut vous aimer; mais, si j'en crois ce que vous m'avez dit de lui, vous n'êtes pas faits pour vous entendre... Ou du moins, attendez encore. Ne revenez pas à lui défait. Voulez-vous toute ma pensée? C'est pour moi, non pour lui, que vous vous proposez cela; pour obtenir ce que vous appeliez : mon estime. Vous ne l'aurez, Bernard, que si je ne vous sens pas la chercher. Je ne peux vous aimer que naturel. Laissez-moi le repentir; il n'est pas fait pour vous, Bernard.

— J'en viens presque à aimer mon nom, quand je l'entends sur votre bouche. Savez-vous ce dont j'avais le plus horreur, là-bas? C'est du luxe. Tant de confort, tant de facilités... Je me sentais devenir anarchiste. A présent, au contraire, je crois que je tourne au conservateur. J'ai compris brusquement cela, l'autre jour, à cette indignation qui m'a pris en entendant le touriste de la frontière parler du plaisir qu'il avait à frauder la douane. « Voler l'État, c'est ne voler personne », disait-il. Par protestation, j'ai compris tout à coup ce que c'était que l'État. Et je me suis mis à l'aimer, simplement parce qu'on lui faisait du tort (**52**). Je n'avais jamais réfléchi à cela. « L'État, ce n'est qu'une convention », disait-il encore. Quelle belle chose ce serait, une convention qui reposerait sur la bonne foi de chacun... si seulement il n'y avait que des gens probes. Tenez, on me demanderait aujourd'hui quelle vertu me paraît la plus belle, je répondrais sans hésiter : la probité. Oh! Laura! Je voudrais, tout le long de ma vie, au moindre choc, rendre un son pur, probe, authentique. Presque tous les gens que j'ai connus sonnent faux (**53**). Valoir exactement ce qu'on paraît; ne pas chercher à paraître plus qu'on ne vaut... On veut donner le change, et l'on s'occupe tant de paraître, qu'on finit par ne plus savoir qui l'on est... Excusez-moi de vous parler ainsi. Je vous fais part de mes réflexions de la nuit.

— Vous pensiez à la petite pièce que vous nous montriez hier. Lorsque je partirai... »

Elle ne put achever sa phrase; les larmes montaient à ses yeux, et, dans l'effort qu'elle fit pour les retenir, Bernard vit ses lèvres trembler.

« Alors, vous partirez, Laura... reprit-il tristement. J'ai peur, lorsque je ne vous sentirai plus près de moi, de ne plus rien valoir, ou que si peu... Mais, dites, je voudrais vous demander : ... est-ce que vous partiriez, auriez-vous écrit ces aveux, si Édouard... je ne sais comment dire... (et tandis que Laura rougissait) si Édouard valait davantage? Oh! ne protestez pas. Je sais bien ce que vous pensez de lui.

— Vous dites cela parce que hier vous avez surpris mon sourire, tandis qu'il parlait; vous vous êtes aussitôt persuadé que nous le jugions pareillement. Mais non; détrompez-vous. A vrai dire, je ne sais pas ce que je pense de lui. Il n'est jamais longtemps le même. Il ne s'attache à rien; mais rien n'est plus attachant que sa fuite. Vous le connaissez depuis trop peu de temps pour le juger. Son être se défait et se refait sans cesse. On croit le saisir... c'est Protée[1]. Il prend la forme de ce qu'il aime. Et lui-même, pour le comprendre il faut l'aimer.

— Vous l'aimez. Oh! Laura, ce n'est pas de Douviers que je me sens jaloux, ni de Vincent; c'est d'Édouard.

— Pourquoi jaloux? J'aime Douviers; j'aime Édouard; mais différemment. Si je dois vous aimer, ce sera d'un autre amour encore.

— Laura, Laura, vous n'aimez pas Douviers. Vous avez pour lui de l'affection, de la pitié, de l'estime mais cela n'est pas de l'amour. Je crois que le secret de votre tristesse (car vous êtes triste, Laura) c'est que la vie vous a divisée; l'amour n'a voulu de vous qu'incomplète; vous répartissez sur plusieurs ce que vous auriez voulu donner à un seul. Pour moi, je me sens indivisible; je ne puis me donner qu'en entier.

— Vous êtes trop jeune pour parler ainsi. Vous ne pouvez savoir déjà, si, vous aussi, la vie ne vous « divisera » pas, comme vous dites. Je ne puis accepter de vous que cette... dévotion, que vous m'offrez. Le reste aura ses exigences, qui devront bien se satisfaire ailleurs.

— Serait-il vrai? Vous allez me dégoûter par avance et de moi-même et de la vie.

— Vous ne connaissez rien de la vie. Vous pouvez tout attendre d'elle. Savez-vous quelle a été ma faute? De ne plus en attendre rien. C'est quand j'ai cru, hélas! que je n'avais plus rien à attendre, que je me suis abandonnée. J'ai vécu ce printemps, à Pau, comme si je ne devais plus en

1. Divinité de la mythologie classique, qui changeait de forme à volonté.

avoir d'autres; comme si plus rien n'importait. Bernard, je puis vous le dire, à présent que j'en suis punie : ne désespérez jamais de la vie (**54**). »

Que sert de parler ainsi à un jeune être plein de flamme? Aussi bien ce que disait Laura ne s'adressait point à Bernard. A l'appel de sa sympathie, elle pensait devant lui, malgré elle, à voix haute. Elle était inhabile à feindre, inhabile à se maîtriser. Comme elle avait cédé d'abord à cet élan qui l'emportait dès qu'elle pensait à Édouard, et où se trahissait son amour, elle s'était laissée aller à certain besoin de sermonner qu'elle tenait assurément de son père[1]. Mais Bernard avait horreur des recommandations, des conseils, dussent-ils venir de Laura; son sourire avertit Laura, qui reprit sur un ton plus calme :

« Pensez-vous demeurer le secrétaire d'Édouard, à votre retour à Paris?

— Oui, s'il consent à m'employer; mais il ne me donne rien à faire. Savez-vous ce qui m'amuserait? C'est d'écrire avec lui ce livre, que, seul, il n'écrira jamais; vous le lui avez bien dit hier. Je trouve absurde cette méthode de travail qu'il nous exposait. Un bon roman s'écrit plus naïvement que cela. Et d'abord, il faut croire à ce que l'on raconte, ne pensez-vous pas? et raconter tout simplement. J'ai d'abord cru que je pourrais l'aider. S'il avait eu besoin d'un détective, j'aurais peut-être satisfait aux exigences de l'emploi. Il aurait travaillé sur les faits qu'aurait découverts ma police... Mais avec un idéologue, rien à faire. Près de lui, je me sens une âme de reporter. S'il s'entête dans son erreur, je travaillerai de mon côté. Il me faudra gagner ma vie. J'offrirai mes services à quelque journal. Entre-temps, je ferai des vers.

— Car près des reporters, assurément, vous vous sentirez une âme de poète.

— Oh! ne vous moquez pas de moi. Je sais que je suis ridicule; ne me le faites pas trop sentir.

— Restez avec Édouard; vous l'aiderez, et laissez-vous aider par lui. Il est bon. »

On entendit la cloche du déjeuner. Bernard se leva. Laura lui prit la main :

« Dites encore : cette petite pièce que vous nous mon-

1. Le pasteur Vedel.

triez hier... en souvenir de vous, lorsque je partirai — elle se raidit et cette fois put achever sa phrase — voudriez-vous me la donner?

— Tenez; la voici; prenez-la », dit Bernard.

V

[Dans son *Journal*, Édouard raconte qu'il a eu un long entretien avec Sophroniska. Celle-ci lui a donné de nombreux et précieux renseignements sur la névrose dont souffre Boris et sur les origines de son mal. Mais, sceptique sur l'efficacité du traitement suivi par l'enfant, Édouard a suggéré à la doctoresse que Boris soit mis en pension chez les Azaïs. Il espère ainsi arracher le petit malade à une atmosphère qu'il juge pernicieuse, lui donner le goût du travail et le rapprocher de son grand-père, le vieux La Pérouse.]

VI

[Olivier, qui vient de passer son bachot, écrit à Bernard. Il lui annonce qu'il a été nommé rédacteur en chef de l'*Avant-Garde*, une nouvelle revue littéraire lancée par R. de Passavant. Il fait l'éloge de celui-ci, avec qui il est d'ailleurs parti pour Vizzavone, en Corse.

Cette lettre provoque chez Édouard, à qui Bernard l'a communiquée, un vif dépit, car son nom n'y est même pas mentionné. Elle accentue également la gêne mutuelle qui s'est insinuée entre le romancier et son secrétaire. Aussi Édouard propose-t-il à Bernard de lui rendre sa liberté. Le jeune homme acquiesce, et offre d'entrer comme surveillant à la pension Vedel-Azaïs, où il pourrait gagner sa vie et protéger Boris.]

VII

[Avant de poursuivre son œuvre, l'auteur s'arrête et juge ses personnages. Il redoute qu'en faisant entrer Boris à la pension Azaïs, dont il connaît pourtant « l'air empesté », « Édouard ne commette une imprudence ». Il reproche à Bernard de l'avoir déçu, car il craint qu'il ne soit amené à « se révolter contre sa révolte même », et regrette qu'il ait pris auprès d'Édouard une place qui aurait dû revenir à Olivier. De son côté, Olivier n'a pas su « se défendre » suffisamment de l'influence de Passavant. Quant à lady Griffith, elle ne lui en impose plus : car elle a toutes les qualités, « fors une âme ».]

TROISIÈME PARTIE

PARIS

I

JOURNAL D'ÉDOUARD

[22 septembre. — Édouard raconte qu'il a ramené Boris à Paris et l'a conduit chez le vieux La Pérouse. La première entrevue entre le grand-père et le petit-fils paraît d'ailleurs avoir tourné court.]

« 27 sept. — Ce matin, rencontré Molinier[1], sous l'Odéon[2]. Pauline et Georges ne rentrent qu'après-demain. Seul à Paris depuis hier, si Molinier s'ennuyait autant que moi, rien d'étonnant à ce qu'il ait paru ravi de me voir. Nous avons été nous asseoir au Luxembourg, en attendant l'heure du déjeuner, que nous avons convenu de prendre ensemble.

« Molinier affecte avec moi un ton plaisantin, parfois même égrillard, qu'il pense sans doute de nature à plaire à un artiste. Certain souci de se montrer encore vert.

« — Au fond, je suis un passionné, m'a-t-il déclaré. J'ai compris qu'il voulait dire : un libidineux. J'ai souri, comme on ferait en entendant une femme déclarer qu'elle a de très belles jambes; un sourire qui signifie : « Croyez bien que je n'en ai jamais douté. » Jusqu'à ce jour, je n'avais vu de lui que le magistrat[3]; l'homme enfin écartait la toge.

« J'ai attendu que nous fussions attablés chez Foyot[4] pour lui parler d'Olivier; lui ai dit que j'avais eu récemment de ses nouvelles par un de ses camarades et que j'avais appris qu'il voyageait en Corse avec le comte de Passavant.

« — Oui, c'est un ami de Vincent, qui lui a proposé de l'emmener. Comme Olivier venait de passer son bachot assez brillamment, sa mère n'a pas cru devoir lui refuser ce plaisir... C'est un littérateur, ce comte de Passavant. Vous devez le connaître.

1. Oscar Molinier, le père de Vincent, d'Olivier et de Georges; **2.** Théâtre national, situé près du jardin du Luxembourg. Le bâtiment est entouré de galeries, ce qui explique l'expression : « sous l'Odéon »; **3.** Il est président de chambre (cf. p. 28); **4.** Restaurant qui se trouvait rue de Vaugirard, juste en face de l'entrée du palais du Luxembourg. L'immeuble a été démoli.

« Je ne lui ai point caché que je n'aimais beaucoup ni ses livres ni sa personne.

« — Entre confrères, on se juge quelquefois un peu sévèrement, a-t-il riposté. J'ai tâché de lire son dernier roman, dont certains critiques font grand cas. Je n'y ai pas vu grand-chose; mais, vous savez, je ne suis pas de la partie... Puis, comme j'exprimais mes craintes sur l'influence que Passavant pourrait avoir sur Olivier :

« — A vrai dire, a-t-il ajouté pâteusement, moi, personnellement, je n'approuvais pas ce voyage. Mais il faut bien se rendre compte qu'à partir d'un certain âge, les enfants nous échappent. C'est dans la règle, et il n'y a rien à faire à cela. Pauline voudrait rester penchée sur eux. Elle est comme toutes les mères. Je lui dis parfois : « Mais tu les embêtes, tes fils. Laisse-les donc tranquilles. C'est toi qui leur donnes des idées, avec toutes tes questions... » Moi, je tiens que cela ne sert à rien de les surveiller trop longtemps. L'important, c'est qu'une première éducation leur inculque quelques bons principes. L'important, c'est surtout qu'ils aient de qui tenir. L'hérédité, voyez-vous, mon cher, ça triomphe de tout. Il y a certains mauvais sujets que rien n'amende; ce que nous appelons : les prédestinés. Il est nécessaire, ceux-là, de les tenir très serrés. Mais quand on a affaire à de bonnes natures, on peut lâcher la bride un peu (**55**).

« — Vous me disiez pourtant, poursuivis-je, que cet enlèvement d'Olivier n'avait pas votre assentiment.

« — Oh! mon assentiment... mon assentiment, a-t-il dit, le nez dans son assiette, on s'en passe parfois, de mon assentiment. Il faut se rendre compte que dans les ménages, et je parle des plus unis, ce n'est pas toujours le mari qui décide. Vous n'êtes pas marié, cela ne vous intéresse pas...

« — Pardonnez-moi, fis-je en riant; je suis romancier.

« — Alors vous avez pu remarquer sans doute que ce n'est pas toujours par faiblesse de caractère qu'un homme se laisse mener par sa femme.

« — Il est en effet, concédai-je en manière de flatterie, des hommes fermes, et mêmes autoritaires, qu'on découvre, en ménage, d'une docilité d'agneau.

« — Et savez-vous à quoi cela tient? reprit-il... neuf fois sur dix, le mari qui cède à sa femme, c'est qu'il a quelque chose à se faire pardonner. Une femme vertueuse, mon cher, prend avantage de tout. Que l'homme courbe un instant le dos, elle lui saute sur les épaules. Ah! mon ami, les pauvres maris sont parfois bien à plaindre. Quand nous sommes jeunes, nous souhaitons de chastes épouses sans savoir tout ce que nous coûtera leur vertu.

« Les coudes sur la table et le menton dans les mains, je contemplais Molinier. Le pauvre homme ne se doutait pas combien la position courbée dont il se plaignait paraissait naturelle à son échine; il s'épongeait le front fréquemment, mangeait beaucoup, non tant comme un gourmet que comme un goinfre, et semblait apprécier particulièrement le vieux bourgogne que nous avions commandé. Heureux de se sentir écouté, compris, et, pensait-il sans doute, approuvé, il débordait d'aveux.

« — En tant que magistrat, continuait-il, j'en ai connu qui ne se prêtaient à leur mari qu'à contrecœur, qu'à contre-sens... et qui pourtant s'indignent lorsque le malheureux rebuté va chercher ailleurs sa provende[1].

« Le magistrat avait commencé sa phrase au passé; le mari l'achevait au présent, dans un indéniable rétablissement personnel. Il ajouta sentencieusement, entre deux bouchées :

« — Les appétits d'autrui paraissent facilement excessifs, dès qu'on ne les partage pas. But un grand coup de vin, puis : — Et ceci vous explique, cher ami, comment un mari perd la direction de son ménage.

« J'entendais de reste et découvrais, sous l'incohérence apparente de ses propos, son désir de faire retomber sur la vertu de sa femme la responsabilité de ses faillites. Des êtres aussi disloqués que ce pantin, me disais-je, n'ont pas trop de tout leur égoïsme pour tenir reliés entre eux les éléments disjoints de leur figure. Un peu d'oubli d'eux-mêmes, et ils s'en iraient en morceaux. Il se taisait. Je sentis le besoin de verser quelques réflexions, comme on verse de l'huile à une machine qui vient de fournir une étape, et, pour l'inviter à repartir, je hasardai :

« — Heureusement, Pauline est intelligente.

« Il fit un : « oui... », prolongé jusqu'au dubitatif, puis :

« — Mais il y a pourtant des choses qu'elle ne comprend pas. Si intelligente que soit une femme, vous savez... Du reste, je reconnais qu'en la circonstance je n'ai pas été très

1. *Provende* (mot littéraire, un peu archaïque) : nourriture, subsistance.

adroit. J'avais commencé à lui parler d'une petite aventure, alors que je croyais, que j'étais convaincu moi-même, que l'histoire n'irait pas plus loin. L'histoire a été plus loin... et les soupçons de Pauline également. J'avais eu tort de lui mettre, comme on dit, la puce à l'oreille. Il m'a fallu dissimuler, mentir... Voilà ce que c'est que d'avoir eu d'abord la langue trop longue. Que voulez-vous? Je suis d'un naturel confiant... Mais Pauline est d'une jalousie redoutable et vous n'imaginez pas combien j'ai dû ruser.

« — Il y a longtemps de cela? demandai-je.

« — Oh! ça dure depuis cinq ans environ; et j'estime que je l'avais complètement rassurée. Mais tout va être à recommencer. Figurez-vous qu'avant-hier, en rentrant chez moi... Si on demandait un second Pommard[1], hein (**56**)?

« — Pas pour moi, je vous en prie.

« — Ils en ont peut-être des demi-bouteilles. Ensuite je rentrerai dormir un peu. La chaleur m'éprouve... Je vous disais donc qu'avant-hier, en rentrant chez moi, j'ouvre mon secrétaire pour y ranger des papiers. J'amène le tiroir où j'avais caché les lettres de... la personne en question. Jugez de ma stupeur, mon cher : le tiroir était vide. Oh! parbleu, je ne vois que trop ce qui se sera passé : Il y a une quinzaine de jours, Pauline s'est amenée à Paris avec Georges, pour le mariage de la fille[2] d'un de mes collègues, auquel il ne m'était pas possible d'assister; vous savez que j'étais en Hollande... et puis, ces cérémonies-là, c'est plutôt l'affaire des femmes. Désœuvrée dans cet appartement vide, sous prétexte de mettre de l'ordre, vous savez comment sont les femmes, toujours un peu curieuses... elle aura commencé à fureter... oh! sans songer à mal. Je ne l'accuse pas. Mais Pauline a toujours eu un sacré besoin de ranger... Alors, qu'est-ce que vous voulez que je lui dise, à présent qu'elle tient en main les preuves? Si encore la petite ne m'appelait pas par mon nom! Un ménage si uni! Quand je songe à ce que je vais prendre...

« Le pauvre homme pataugeait dans sa confidence. Il se tamponna le front, s'éventa. J'avais beaucoup moins bu que lui. Le cœur ne fournit pas de la compassion sur commande; je n'éprouvais pour lui que du dégoût. Je l'acceptais père de famille (encore qu'il me fût pénible de me dire qu'il était

1. Vin de Bourgogne réputé; 2. Cécile, la fille d'Albéric Profitendieu.

père d'Olivier), bourgeois rangé, honnête, retraité; amoureux, je ne l'imaginais que ridicule. J'étais surtout gêné par la maladresse et la trivialité de ses propos, de sa mimique; les sentiments qu'il m'exprimait, ni son visage, ni sa voix, ne me paraissaient faits pour les rendre; on eût dit une contrebasse s'essayant à des effets d'alto; son instrument n'obtenait que des couacs.

« — Vous me disiez que Georges était avec elle...

« — Oui; elle n'avait pas voulu le laisser seul. Mais naturellement, à Paris, il n'était pas toujours sur son dos... Si je vous disais, mon cher, que depuis vingt-six ans de ménage, je n'ai jamais eu avec elle la moindre scène, pas la plus petite altercation... Quand je songe à celle qui se prépare... car Pauline rentre dans deux jours... Ah! tenez, parlons d'autre chose (**57**). »

[Molinier donne alors des nouvelles de Vincent, parti pour une croisière scientifique, près des Açores. Puis il raconte que des fils de famille ont été surpris à avoir des rendez-vous galants dans une maison mal famée. Il accuse même Bernard d'être l'un d'entre eux, sans en avoir la moindre preuve, mais par suspicion envers un jeune homme qui a quitté si brusquement les siens.]

II

Journal d'Édouard

(suite)

[28 septembre. — Édouard, qui a reçu un billet de Rachel, la sœur de Laura, se rend à la pension Vedel.

Il monte d'abord voir le vieil Azaïs, lequel s'inquiète du sort de La Pérouse et veut lui offrir d'être surveillant d'étude dans son établissement. Azaïs a également reçu la visite de Bernard, qui voudrait travailler chez lui.

Ensuite, Édouard descend prendre le thé avec la femme du pasteur Vedel. Celle-ci, complètement aveuglée par la niaiserie, ne s'aperçoit pas que la pension Azaïs est dans le plus grand embarras financier. Rachel, en effet, doit faire, en secret, un emprunt d'argent à Édouard pour payer quelques dettes. Mais, la rentrée des classes devant avoir lieu dans deux jours, elle espère pouvoir rembourser bientôt le romancier.]

III

Journal d'Édouard

(suite)

[29 septembre. — Édouard rend visite à La Pérouse. Le vieillard, qui vit seul maintenant, puisqu'il a réussi à placer sa femme dans une maison de retraite, a quelque peu perdu la tête. Il a d'ailleurs voulu se tuer d'un coup de pistolet; mais, au dernier moment, il a manqué du courage nécessaire. Sur les conseils d'Édouard, il accepte finalement de venir s'installer à la pension Azaïs.]

IV

[Jour de rentrée à la pension Vedel, où maintenant Boris est élève. Parmi ses camarades de classe, il y a : Léon Ghéridanisol, dit Ghéri, qui est aussi le cousin de Strouvilhou; Philippe Adamanti, ou Phiphi, fils d'un sénateur corse; Georges Molinier; et enfin Gontran de Passavant, le jeune frère de l'auteur de *la Barre fixe*.

Deux de ces enfants se connaissent déjà : ce sont Georges et Phiphi, qui étaient des habitués de la maison mal famée dont il a été déjà question au chapitre Ier et que le juge Profitendieu a fait fermer pendant les vacances scolaires. Ghéri, mis au courant de cet épisode, le rapporte, le soir même, à Strouvilhou.]

V

Olivier, de retour à Paris depuis la veille, s'était levé tout reposé. L'air était chaud, le ciel pur. Quand il sortit, rasé de frais, douché, élégamment vêtu, conscient de sa force, de sa jeunesse, de sa beauté, Passavant sommeillait encore.

Olivier se hâte vers la Sorbonne. C'est ce matin que Bernard doit passer l'écrit[1]. Comment Olivier le sait-il? Mais peut-être ne le sait-il pas. Il va se renseigner. Il se hâte. Il n'a pas revu son ami depuis cette nuit que Bernard est venu chercher refuge dans sa chambre. Quels changements depuis! Qui dira s'il n'est pas encore plus pressé de se montrer à lui que de le revoir? Fâcheux que Bernard soit si peu sensible à l'élégance! Mais c'est un goût qui parfois

1. Du baccalauréat.

vient avec l'aisance. Olivier en a fait l'épreuve, grâce au comte de Passavant[1].

C'est l'écrit que Bernard passe ce matin. Il ne sortira qu'à midi. Olivier l'attend dans la cour. Il reconnaît quelques camarades, serre des mains puis s'écarte. Il est un peu gêné par sa mise. Il le devient plus encore lorsque Bernard, enfin délivré, s'avance dans la cour et s'écrie, en lui tendant la main :

« Qu'il est beau! »

Olivier, qui croyait ne plus jamais rougir, rougit. Comment ne pas voir dans ces mots, malgré leur ton très cordial, de l'ironie? Bernard, lui, porte le même costume encore, qu'il avait le soir de sa fuite. Il ne s'attendait pas à trouver Olivier. Tout en le questionnant, il l'entraîne. La joie qu'il a de le revoir est subite. S'il a d'abord un peu souri devant le raffinement de sa mise, c'est sans malice aucune; il a bon cœur; il est sans fiel.

« Tu déjeunes avec moi, hein? Oui, je dois rappliquer (**58**) à une heure et demie pour le latin. Ce matin, c'était le français.

— Content?

— Moi, oui. Mais je ne sais pas si ce que j'ai pondu sera du goût des examinateurs. Il s'agissait de donner son avis sur quatre vers de La Fontaine :

> Papillon du Parnasse, et semblable aux abeilles
> A qui le bon Platon compare nos merveilles,
> Je suis chose légère et vole à tout sujet,
> Je vais de fleur en fleur et d'objet en objet[2].

Dis un peu, qu'est-ce que tu aurais fait avec ça (**59**)? »

Olivier ne peut résister au désir de briller :

« J'aurais dit qu'en se peignant lui-même, La Fontaine avait fait le portrait de l'artiste, de celui qui consent à ne prendre du monde que l'extérieur, que la surface, que la fleur. Puis j'aurais posé en regard un portrait du savant, du chercheur, de celui qui creuse, et montré enfin que, pendant que le savant cherche, l'artiste trouve; que celui qui creuse s'enfonce, et que qui s'enfonce s'aveugle; que la vérité, c'est l'apparence; que le mystère, c'est la forme, et que ce que l'homme a de plus profond, c'est sa peau. »

1. Le comte de Passavant a fait confectionner des vêtements très élégants pour Olivier, qui en a maintenant le goût; **2.** Ces quatre vers sont extraits du *Second Discours à Madame de La Sablière*.

Cette dernière phrase, Olivier la tenait de Passavant, qui lui-même l'avait cueillie sur les lèvres de Paul-Ambroise[1], un jour que celui-ci discourait dans un salon. Tout ce qui n'était pas imprimé était pour Passavant de bonne prise; ce qu'il appelait « les idées dans l'air », c'est-à-dire : celles d'autrui.

Un je ne sais quoi dans le ton d'Olivier avertit Bernard que cette phrase n'était pas de lui. La voix d'Olivier s'y trouvait gênée. Bernard fut sur le point de demander : « C'est de qui ? »; mais, outre qu'il ne voulait pas désobliger son ami, il redoutait d'avoir à entendre le nom de Passavant, que l'autre jusqu'à présent n'avait eu garde de prononcer. Bernard se contenta de regarder son ami avec une curieuse insistance; et Olivier, pour la seconde fois, rougit.

La surprise qu'avait Bernard d'entendre le sentimental Olivier exprimer des idées parfaitement différentes de celles qu'il lui connaissait, fit place presque aussitôt à une indignation violente; quelque chose de subit et de surprenant, d'irrésistible comme un cyclone. Et ce n'était pas précisément contre ces idées qu'il s'indignait, encore qu'elles lui parussent absurdes. Et même elles n'étaient peut-être pas, après tout, si absurdes que cela. Sur son cahier des opinions contradictoires[2], il les pourrait coucher en regard des siennes propres. Eussent-elles été authentiquement les idées d'Olivier, il ne se serait indigné ni contre lui, ni contre elles; mais il sentait quelqu'un de caché derrière; c'est contre Passavant qu'il s'indignait.

« Avec de pareilles idées, on empoisonne la France », s'écria-t-il d'une voix sourde, mais véhémente. Il le prenait de très haut, désireux de survoler Passavant. Et ce qu'il dit le surprit lui-même, comme si sa phrase avait précédé sa pensée; et pourtant c'était cette pensée même qu'il avait développée ce matin dans son devoir; mais, par une sorte de pudeur, il lui répugnait, dans son langage, et particulièrement en causant avec Olivier, de faire montre de ce qu'il appelait « les grands sentiments ». Aussitôt exprimés, ceux-ci lui paraissaient moins sincères. Olivier n'avait donc jamais entendu son ami parler des intérêts de « la France »;

1. Le poète *Valéry*, prénommé *Paul-Ambroise;* 2. Allusion à un carnet que Bernard a pris l'habitude de tenir et qu'il conçoit ainsi : « Sur la page de droite, j'écris une opinion, dès que, sur la page de gauche, en regard, je peux écrire l'opinion contraire. » (IIe partie, chap. IV.)

ce fut son tour d'être surpris. Il ouvrait de grands yeux et ne songeait même plus à sourire. Il ne reconnaissait plus son Bernard. Il répéta stupidement :

« La France?... » Puis, dégageant sa responsabilité, car Bernard décidément ne plaisantait pas : « Mais, mon vieux, ce n'est pas moi qui pense ainsi; c'est La Fontaine. »

Bernard devint presque agressif :

« Parbleu! s'écria-t-il, je sais parbleu bien que ce n'est pas toi qui penses ainsi. Mais, mon vieux, ce n'est pas non plus La Fontaine. S'il n'avait eu pour lui que cette légèreté, dont du reste, à la fin de sa vie, il se repent et s'excuse, il n'aurait jamais été l'artiste que nous admirons. C'est précisément ce que j'ai dit dans ma dissertation de ce matin, et fait valoir à grand renfort de citations, car tu sais que j'ai une mémoire assez bonne. Mais, quittant bientôt La Fontaine, et retenant l'autorisation que certains esprits superficiels pourraient penser trouver dans ses vers, je me suis payé une tirade contre l'esprit d'insouciance, de blague, d'ironie; ce qu'on appelle enfin « l'esprit français », qui nous vaut parfois à l'étranger une réputation si déplorable. J'ai dit qu'il fallait y voir, non pas même le sourire, mais la grimace de la France; que le véritable esprit de la France était un esprit d'examen, de logique, d'amour et de pénétration patiente (**60**); et que, si cet esprit-là n'avait pas animé La Fontaine, il aurait peut-être bien écrit ses contes, mais jamais ses fables, ni cette admirable épître (j'ai montré que je la connaissais) dont sont extraits les quelques vers qu'on nous donnait à commenter. Oui, mon vieux, une charge à fond, qui va peut-être me faire recaler. Mais je m'en fous; j'avais besoin de dire ça. »

Olivier ne tenait pas particulièrement à ce qu'il venait d'exprimer tout à l'heure. Il avait cédé au besoin de briller, et de citer, comme négligemment, une phrase qu'il estimait de nature à épater son ami. Si maintenant celui-ci le prenait sur ce ton, il ne lui restait plus qu'à battre en retraite. Sa grande faiblesse venait de ceci qu'il avait beaucoup plus besoin de l'affection de Bernard, que celui-ci n'avait besoin de la sienne. La déclaration de Bernard l'humiliait, le mortifiait. Il s'en voulait d'avoir parlé trop vite. A présent, il était trop tard pour se reprendre, emboîter le pas, comme il eût fait certainement s'il avait laissé Bernard parler le premier. Mais comment eût-il pu prévoir que Bernard, qu'il avait laissé si frondeur, allait se poser en défenseur de sentiments et d'idées que Passavant lui apprenait à ne considérer point sans sourire (**61**) ? Sourire, il n'en avait vraiment plus envie; il avait honte. Et ne pouvant ni se rétracter, ni s'élever contre Bernard dont l'authentique émotion lui imposait, il ne cherchait plus qu'à se protéger, qu'à se soustraire :

« Enfin, si c'est cela que tu m'as mis dans ta compote[1], ça n'est pas contre moi que tu le disais... J'aime mieux ça. »

Il s'exprimait comme quelqu'un de vexé, et pas du tout sur le ton qu'il eût voulu.

« Mais c'est à toi que je le dis maintenant », reprit Bernard.

Cette phrase cingla Olivier droit au cœur. Bernard ne l'avait sans doute pas dite dans une intention hostile; mais comment la prendre autrement ? Olivier se tut. Un gouffre entre Bernard et lui se creusait. Il chercha quelles questions, d'un bord à l'autre de ce gouffre, il allait pouvoir jeter, qui rétabliraient le contact. Il cherchait sans espoir. « Ne comprend-il donc pas ma détresse ? » se disait-il; et sa détresse s'aggravait. Il n'eut peut-être pas à refouler de larmes, mais il se disait qu'il y avait de quoi pleurer. C'est sa faute aussi : ce revoir lui paraîtrait moins triste, s'il s'en était promis moins de joie. Lorsque, deux mois auparavant, il s'était empressé à la rencontre d'Édouard, il en avait été de même. Il en serait toujours ainsi, se disait-il. Il eût voulu plaquer Bernard, s'en aller n'importe où, oublier Passavant, Édouard... Une rencontre inopinée, soudain, rompit le triste cours de sa pensée.

A quelques pas devant eux, sur le boulevard Saint-Michel, qu'ils remontaient, Olivier venait d'apercevoir Georges, son jeune frère. Il saisit Bernard par le bras, et tournant les talons aussitôt, l'entraîna précipitamment.

« Crois-tu qu'il nous ait vus ?... Ma famille ne sait pas que je suis de retour. »

Le petit Georges n'était point seul, Léon Ghéridanisol et Philippe Adamanti[2] l'accompagnaient. La conversation de ces trois enfants était très animée; mais l'intérêt que Georges y prenait ne l'empêchait pas d' « avoir l'œil » comme il disait. Pour les écouter, quittons un instant Olivier et Bernard; aussi bien, entrés dans un restaurant, nos deux amis

1. Argot scolaire : *composition;* 2. Sur ces personnages, v. 3e partie, chap. IV, p. 80.

sont-ils, pour un temps, plus occupés à manger qu'à parler, au grand soulagement d'Olivier.

« Eh bien, alors, vas-y, toi, dit Phiphi à Georges.

— Oh! il a la frousse! il a la frousse! » riposte celui-ci, en mettant dans sa voix tout ce qu'il peut d'ironique mépris, propre à éperonner Philippe. Et Ghéridanisol, supérieur :

« Mes agneaux, si vous ne voulez pas, autant le dire tout de suite. Je ne suis pas embarrassé pour trouver d'autres types qui auront plus de culot que vous. Allons, rends-moi ça. »

Il se tourne vers Georges, qui tient une petite pièce dans sa main fermée.

« Chiche, que j'y vais! s'écrie Georges, dans un brusque élan. Venez avec moi. (Ils sont devant un bureau de tabac.)

— Non, dit Léon; on t'attend au coin de la rue. Viens, Phiphi. »

Georges ressort un instant après de la boutique; il tient à la main un paquet de cigarettes dites « de luxe »; en offre à ses amis.

« Eh bien? demande anxieusement Phiphi.

— Eh bien, quoi? » riposte Georges, d'un air d'indifférence affectée, comme si ce qu'il venait de faire était devenu soudain si naturel qu'il ne valût pas la peine d'en parler. Mais Philippe insiste :

« Tu l'as passée?

« — Parbleu!

« — On ne t'a rien dit? »

Georges hausse les épaules :

« Qu'est-ce que tu voulais qu'on me dise?

— Et on t'a rendu la monnaie? »

Cette fois Georges ne daigne même plus répondre. Mais comme l'autre, encore un peu sceptique et craintif, insiste : « Fais voir », Georges sort l'argent de sa poche. Philippe compte : les sept francs y sont. Il a envie de demander : « Tu es sûr au moins qu'ils sont bons, ceux-là? » mais se retient.

Georges avait payé un franc la fausse pièce. Il avait été convenu qu'on partagerait la monnaie. Il tend trois francs à Ghéridanisol. Quant à Phiphi, il n'aura pas un sou; tout au plus une cigarette; ça lui servira de leçon.

Encouragé par cette première réussite, Phiphi, maintenant, voudrait bien. Il demande à Léon de lui vendre une seconde pièce. Mais Léon trouve Phiphi flanchard[1], et, pour le remonter à bloc, il affecte un certain mépris pour sa préalable couardise et feint de le bouder. « Il n'avait qu'à se décider plus vite; on jouerait sans lui (**62**). » Du reste, Léon juge imprudent de risquer une nouvelle expérience trop voisine de la première. Et puis, à présent, il est trop tard. Son cousin Strouvilhou l'attend pour déjeuner.

Ghéridanisol n'est pas si gourde qu'il ne sache écouler lui-même ses pièces; mais, suivant les instructions de son grand cousin, il cherche à s'assurer des complices. Il rendra compte de sa mission bien remplie.

« Les gosses de bonne famille, tu comprends, c'est ceux-là qu'il nous faut, parce qu'ensuite, si l'affaire s'évente, les parents travaillent à l'étouffer. (C'est le cousin Strouvilhou, son correspondant intérimaire, qui lui parle ainsi, tandis qu'ils déjeunent.) — Seulement, avec ce système de vendre les pièces une à une, ça les écoule trop lentement. J'ai cinquante-deux boîtes de vingt pièces chacune, à placer. Il faut les vendre vingt francs chacune; mais pas à n'importe qui, tu comprends. Le mieux, ce serait de former une association, dont on ne pourra pas faire partie sans avoir apporté des gages. Il faut que les gosses se compromettent et qu'ils livrent de quoi tenir les parents. Avant de lâcher les pièces, tu tâcheras de leur faire comprendre ça; oh! sans les effrayer. Il ne faut jamais effrayer les enfants. Tu m'as dit que le père Molinier était magistrat? C'est bon. Et le père Adamanti?

— Sénateur.

— C'est encore mieux. Tu es déjà assez mûr pour comprendre qu'il n'y a pas de famille sans quelque secret; que les intéressés tremblent de laisser connaître. Il faut mettre les gosses en chasse; ça les occupera. D'ordinaire on s'embête tant, dans sa famille! Et puis, ça peut leur apprendre à observer, à chercher. C'est bien simple : qui n'apportera rien, n'aura rien. Quand ils comprendront qu'on les a, certains parents paieront cher pour le silence. Parbleu, nous n'avons pas l'intention de les faire chanter; on est des honnêtes gens. On prétend simplement les tenir. Leur silence contre le nôtre. Qu'ils se taisent, et qu'ils fassent

1. *Flanchard :* peureux, froussard.

taire; alors nous nous tairons, nous aussi. Buvons à leur santé. »

Strouvilhou remplit deux verres. Ils trinquèrent.

« Il est bon, reprit-il, il est même indispensable de créer des rapports de réciprocité entre les citoyens; c'est ainsi que se forment les sociétés solides. On se tient, quoi! Nous tenons les petits, qui tiennent leurs parents, qui nous tiennent. C'est parfait. Tu piges[1] ? »

Léon pigeait à merveille. Il ricanait.

« Le petit Georges... commença-t-il.

— Eh bien, quoi? le petit Georges...

— Molinier; je crois qu'il est mûr. Il a chipé des lettres à son père, d'une demoiselle de l'Olympia[2].

— Tu les a vues?

— Il me les a montrées. Je l'écoutais, qui causait avec Adamanti. Je crois qu'ils étaient contents que je les entende; en tout cas, ils ne se cachaient pas de moi; j'avais pris pour cela mes mesures et leur avais déjà servi un plat de ta façon, pour les mettre en confiance. Georges disait à Phiphi (affaire de l'épater) : « Mon père, lui, il a une maîtresse. » A quoi Phiphi, pour ne pas rester en retard, ripostait : « Mon père, à moi, il en a deux. » C'était idiot, et il n'y avait pas de quoi se frapper; mais je me suis rapproché et j'ai dit à Georges : « Qu'est-ce que tu en sais? » — « J'ai vu des lettres », m'a-t-il dit. J'ai fait semblant de douter; j'ai dit : « Quelle blague... » Enfin, je l'ai poussé à bout; il a fini par me dire que ces lettres, il les avait sur lui; il les a sorties d'un gros portefeuille, et me les a montrées.

— Tu les as lues?

— Pas eu le temps. J'ai seulement vu qu'elles étaient de la même écriture; l'une d'elles adressée à : « Mon gros minou chéri (**63**). »

— Et signées?

— « Ta souris blanche. » J'ai demandé à Georges : « Com- « ment les as-tu prises? » Alors, en rigolant, il a tiré de la poche de son pantalon un énorme trousseau de clefs, et m'a dit : « Il y en a pour tous les tiroirs. »

— Et que disait monsieur Phiphi?

— Rien. Je crois qu'il était jaloux.

— Georges te donnerait ces lettres?

1. Argotique : *tu comprends?* **2.** Music-hall parisien. Il s'agit des lettres que le magistrat croyait lui avoir été dérobées par sa femme (cf. p. 81).

— S'il faut, je saurai l'y pousser. Je ne voudrais pas les lui prendre. Il les donnera si Phiphi marche aussi. Tous les deux se poussent l'un l'autre.

— C'est ce qu'on appelle de l'émulation. Et tu n'en vois pas d'autres à la pension?

— Je chercherai.

— Je voudrais te dire encore... Il doit y avoir, parmi les pensionnaires, un petit Boris. Laisse-le tranquille, celui-là. » Il prit un temps, puis ajouta plus bas : « pour le moment. »

Olivier et Bernard sont attablés à présent dans un restaurant du boulevard. La détresse d'Olivier, devant le chaud sourire de son ami, fond comme le givre au soleil. Bernard évite de prononcer le nom de Passavant; Olivier le sent; un secret instinct l'avertit; mais il a ce nom sur les lèvres; il faut qu'il parle, advienne que pourra.

« Oui, nous sommes rentrés plus tôt que je n'ai dit à ma famille. Ce soir *les Argonautes*[1] donnent un banquet. Passavant tient à y assister. Il veut que notre nouvelle revue vive en bons termes avec son aînée et qu'elle ne se pose pas en rivale... Tu devrais venir; et, sais-tu... tu devrais y amener Édouard... Peut-être pas au banquet même, parce qu'il faut y être invité, mais sitôt après. On se tiendra dans une salle du premier, à la Taverne du Panthéon. Les principaux rédacteurs des *Argonautes* y seront, et plusieurs de ceux qui doivent collaborer à *l'Avant-Garde*[2]. Notre premier numéro est presque prêt; mais, dis... pourquoi ne m'as-tu rien envoyé?

— Parce que je n'avais rien de prêt », répond Bernard un peu sèchement.

La voix d'Olivier devient presque implorante :

« J'ai inscrit ton nom à côté du mien, au sommaire... On attendrait un peu, s'il fallait... N'importe quoi; mais quelque chose... Tu nous avais presque promis... »

Il en coûte à Bernard de peiner Olivier; mais il se raidit :

« Écoute, mon vieux, il vaut mieux que je te le dise tout de suite : j'ai peur de ne pas bien m'entendre avec Passavant.

— Mais puisque c'est moi qui dirige! Il me laisse absolument libre.

— Et puis, c'est justement de t'envoyer n'importe quoi,

1. Nom d'une société littéraire; 2. La revue dont Olivier est le rédacteur en chef (cf. 2e partie, chap. VI, p. 74).

qui me déplaît. Je ne veux pas écrire « n'importe quoi ».

— Je disais « n'importe quoi », parce que je savais précisément que n'importe quoi de toi, ce serait toujours bien... que précisément ce ne serait jamais « n'importe quoi ». »

Il ne sait que dire. Il bafouille. S'il n'y sent plus son ami près de lui, cette revue cesse de l'intéresser. C'était si beau, ce rêve de débuter ensemble.

« Et puis, mon vieux, si je commence à très bien savoir ce que je ne veux pas faire, je ne sais pas encore bien ce que je ferai. Je ne sais même pas si j'écrirai. »

Cette déclaration consterne Olivier. Mais Bernard reprend :

« Rien de ce que j'écrirais facilement ne me tente. C'est parce que je fais bien mes phrases que j'ai horreur des phrases bien faites. Ce n'est pas que j'aime la difficulté pour elle-même; mais je trouve que, vraiment, les littérateurs d'aujourd'hui ne se foulent[1] guère. Pour écrire un roman, je ne connais pas encore assez la vie des autres; et moi-même je n'ai pas encore vécu (**64**). Les vers m'ennuient : l'alexandrin est usé jusqu'à la corde; le vers libre est informe. Le seul poète qui me satisfasse aujourd'hui, c'est Rimbaud.

— C'est justement ce que je dis dans le manifeste.

— Alors, ce n'est pas la peine que je le répète. Non, mon vieux; non, je ne sais pas si j'écrirai. Il me semble parfois qu'écrire empêche de vivre, et qu'on peut s'exprimer mieux par des actes que par des mots.

— Les œuvres d'art sont des actes qui durent, hasarda craintivement Olivier; mais Bernard ne l'écoutait pas.

— C'est là ce que j'admire le plus dans Rimbaud; c'est d'avoir préféré la vie (**65**).

— Il a gâché la sienne.

— Qu'en sais-tu?

— Oh! ça, mon vieux...

— On ne peut pas juger de la vie des autres par l'extérieur. Mais enfin, mettons qu'il ait raté; il a eu la guigne, la misère et la maladie... Telle qu'elle est, sa vie, je l'envie; oui, je l'envie plus, même avec sa fin sordide, que celle de... »

Bernard n'acheva pas sa phrase; sur le point de nommer un contemporain illustre, il hésitait entre trop de noms. Il haussa les épaules et reprit :

1. Familier pour : ils ne *se fatiguent* guère.

« Je sens en moi, confusément, des aspirations extraordinaires, des sortes de lames de fond, des mouvements, des agitations incompréhensibles, et que je ne veux pas chercher à comprendre, que je ne veux même pas observer, par crainte de les empêcher de se produire. Il n'y a pas bien longtemps encore, je m'analysais sans cesse. J'avais cette habitude de me parler constamment à moi-même. A présent, quand bien je le voudrais, je ne peux plus. Cette manie a pris fin brusquement, sans même que je m'en sois rendu compte. Je pense que ce monologue, ce « dialogue intérieur », comme disait notre professeur, comportait une sorte de dédoublement dont j'ai cessé d'être capable, du jour où j'ai commencé d'aimer quelqu'un d'autre que moi, plus que moi.

— Tu veux parler de Laura, dit Olivier. Tu l'aimes donc toujours autant?

— Non, dit Bernard; mais toujours plus. Je crois que c'est le propre de l'amour, de ne pouvoir demeurer le même; d'être forcé de croître, sous peine de diminuer; et que c'est là ce qui le distingue de l'amitié (**66**).

— Elle aussi, pourtant, peut s'affaiblir », dit Olivier tristement.

[Olivier, qui brûle de revoir Édouard, obtient de Bernard que celui-ci fasse tous ses efforts pour entraîner le romancier au banquet des *Argonautes*.]

VI

[Édouard rapporte, dans son *Journal*, qu'il est allé rendre visite à Pauline Molinier, femme d'Oscar et mère de Vincent, d'Olivier et de Georges. Elle lui exprime ses doléances : elle connaît la liaison extra-conjugale qu'entretient son mari, mais feint de n'en rien savoir; Vincent est au loin; Olivier l'a quittée pour suivre le comte de Passavant; et Georges, malgré son jeune âge, l'a déjà volée. En conversant avec Édouard, elle découvre même un fait plus grave : les lettres adressées à Oscar par sa maîtresse, et que le magistrat croyait entre les mains de sa femme, ont, en réalité, été dérobées par Georges! Le romancier promet alors à Pauline de « parler » à l'enfant.]

VII

[Olivier vient trouver Armand Vedel pour obtenir sa « collaboration » à la revue dont il est le rédacteur en chef. Hélas! Armand, qui souffre de n'être pas mieux doué, lui réplique qu'il n'a aucun don littéraire. Aussi décline-t-il l'offre que lui fait Olivier d'assister à la soirée donnée, à la Taverne du Panthéon[1], par la société des *Argonautes*. Mais il suggère que sa sœur Sarah, qui revient d'Angleterre, y soit invitée à sa place.]

VIII

[Sarah, qui a des velléités d'indépendance, et ne veut pas se résigner comme ses deux sœurs Rachel et Laura, part avec Bernard et Édouard à la soirée des *Argonautes*.]

Le banquet était achevé. On avait desservi; mais la table restait encombrée de tasses de café, de bouteilles et de verres. Chacun fumait; l'atmosphère devenait irrespirable. Madame des Brousses, la femme du directeur des *Argonautes*, réclama de l'air. Sa voix stridente perçait au travers des conversations particulières. On ouvrit la fenêtre. Mais Justinien, qui voulait placer un discours, la fit presque aussitôt refermer « pour l'acoustique ». S'étant levé, il frappait sur son verre avec une cuillère, sans parvenir à attirer l'attention. Le directeur des *Argonautes*, qu'on appelait le Président des Brousses, intervint, finit par obtenir un peu de silence, et la voix de Justinien s'épandit en copieuses nappes d'ennui. La banalité de sa pensée se cachait sous un flot d'images. Il s'exprimait avec une emphase qui tenait lieu d'esprit, et trouvait le moyen de servir à chacun un compliment amphigourique (**67**). A la première pause, et tandis qu'Édouard, Bernard et Sarah faisaient leur rentrée, des applaudissements complaisants éclatèrent; certains les prolongèrent, un peu ironiquement sans doute et comme dans l'espoir de mettre fin au discours; mais vainement : Justinien reprit; rien ne décourageait son éloquence. A présent, c'était le comte de Passavant qu'il couvrait des fleurs de sa rhétorique. Il parla de *la Barre fixe* (**68**) comme d'une *Iliade* nouvelle[2]. On but à la santé de Passavant. Édouard n'avait pas de verre, non plus que Bernard et Sarah, ce qui les dispensa de trinquer.

Le discours de Justinien s'acheva sur des vœux à l'adresse de la revue nouvelle et sur quelques compliments à son futur directeur, « le jeune et talentueux Molinier, chéri des Muses, dont le noble front pur n'attendra pas longtemps le laurier ».

1. Café qui se trouvait au bas de la rue Soufflot; comme le café Vachette, situé au même carrefour, il était un « café littéraire », à la fin du XIXe siècle et au début du XXe; **2.** *La Barre fixe* est le titre du dernier roman de Passavant.

Olivier s'était tenu près de la porte d'entrée, de manière à pouvoir accueillir aussitôt ses amis. Les compliments outrés de Justinien manifestement le gênèrent; mais il ne put se dérober à la petite ovation qui suivit.

Les trois nouveaux arrivants avaient trop sobrement dîné pour se sentir au diapason de l'assemblée. Dans ces sortes de réunions, les retardataires s'expliquent mal ou trop bien l'excitation des autres. Ils jugent, alors qu'il ne sied pas de juger, et exercent, fût-ce involontairement, une critique sans indulgence; du moins c'était le cas d'Édouard et de Bernard. Quant à Sarah, pour qui, dans ce milieu, tout était neuf, elle ne songeait qu'à s'instruire, n'avait souci que de se mettre au pas.

Bernard ne connaissait personne. Olivier, qui l'avait pris par le bras, voulut le présenter à Passavant et à des Brousses. Il refusa. Passavant cependant força la situation, et, s'avançant, lui tendit une main qu'il ne put décemment refuser :

« J'entends parler de vous depuis si longtemps qu'il me semble déjà vous connaître.

— Et réciproquement », dit Bernard, d'un tel ton que l'aménité de Passavant se glaça. Tout aussitôt, il s'approcha d'Édouard.

Bien que souvent en voyage et vivant, même à Paris, fort à l'écart, Édouard n'était pas sans connaître plusieurs des convives, et ne se sentait nullement gêné. A la fois peu aimé, mais estimé par ses confrères (**69**), alors qu'il n'était que distant, il acceptait de passer pour fier. Il écoutait plus volontiers qu'il ne parlait.

« Votre neveu m'avait fait espérer que vous viendriez, commença Passavant d'une voix douce et presque basse. Je m'en réjouissais, car précisément... »

Le regard ironique d'Édouard coupa le reste de sa phrase. Habile à séduire et habitué à plaire, Passavant avait besoin de sentir en face de lui un miroir complaisant pour briller. Il se ressaisit pourtant, n'étant pas de ceux qui perdent pour longtemps leur assurance et acceptent de se laisser démonter. Il redressa le front et chargea ses yeux d'insolence. Si Édouard ne se prêtait pas à son jeu de bonne grâce, il aurait de quoi le mater.

« Je voulais vous demander... reprit-il, comme continuant sa pensée : Avez-vous des nouvelles de votre autre neveu, mon ami Vincent? C'est avec lui surtout que j'étais lié.

— Non », dit Édouard sèchement.

Ce « non » désarçonna de nouveau Passavant, qui ne savait trop s'il devait le prendre comme un démenti provocant, ou comme une simple réponse à sa question. Son trouble ne dura qu'un instant; Édouard, innocemment, le remit en selle en ajoutant presque aussitôt :

« J'ai seulement appris par son père qu'il voyageait avec le prince de Monaco[1].

— J'avais demandé à une de mes amies[2] de le présenter au prince, en effet. J'étais heureux d'inventer cette diversion, pour le distraire un peu de sa malheureuse aventure avec cette madame Douviers... que vous connaissez, m'a dit Olivier. Il risquait d'y gâcher sa vie. »

Passavant maniait à merveille le dédain, le mépris, la condescendance; mais il lui suffisait d'avoir gagné cette manche et de tenir Édouard en respect. Celui-ci cherchait quoi que ce fût de cinglant. Il manquait étrangement de présence d'esprit. C'était sans doute pour cela qu'il aimait si peu le monde : il n'avait rien de ce qu'il fallait pour y briller. Ses sourcils, cependant, se fronçaient. Passavant avait du flair; dès qu'on avait du désagréable à lui dire, il sentait venir et pirouettait (**70**). Sans même reprendre haleine, et changeant de ton brusquement :

« Mais quelle est cette délicieuse enfant qui vous accompagne? demanda-t-il en souriant.

— C'est, dit Édouard, mademoiselle Sarah Vedel, la sœur précisément de madame Douviers, mon amie. »

Faute de mieux, il aiguisa ce « mon amie » comme une flèche; mais qui n'atteignit pas son but, et Passavant la laissant retomber :

« Vous seriez bien aimable de me présenter. »

Il avait dit ces derniers mots et la phrase précédente assez haut pour que Sarah pût les entendre; et comme elle se tournait vers eux, Édouard ne put se dérober :

« Sarah, le comte de Passavant aspire à l'honneur de faire votre connaissance », dit-il avec un sourire contraint.

Passavant avait fait apporter trois nouveaux verres, qu'il remplit de kummel[3]. Tous quatre burent à la santé d'Olivier. La bouteille était presque vide, et, comme Sarah s'étonnait des cristaux qui restaient au fond, Passavant s'efforça d'en

1. Cf. 3e partie, chap. Ier; **2.** Lady Griffith; **3.** Liqueur où entre du cumin.

détacher avec des pailles. Une sorte de jocrisse étrange, à la face enfarinée, à l'œil de jais, aux cheveux plaqués comme une calotte de moleskine, s'approcha, et, mastiquant avec un effort apparent chaque syllabe (**71**) :

« Vous n'y parviendrez pas. Passez-moi la bouteille, que je la crève. »

Il s'en saisit, la brisa d'un coup sur le rebord de la fenêtre, et présentant le fond à Sarah :

« Avec ces petits polyèdres[1] tranchants, la gentille demoiselle obtiendra sans effort une perforation de sa gidouille[2].

— Quel est ce pierrot ? demanda-t-elle à Passavant, qui l'avait fait asseoir et s'était assis auprès d'elle.

— C'est Alfred Jarry, l'auteur d'*Ubu Roi*[3]. Les Argonautes lui confèrent du génie, parce que le public vient de siffler sa pièce. C'est tout de même ce qu'on a donné de plus curieux au théâtre depuis longtemps.

— J'aime beaucoup *Ubu Roi*, dit Sarah, et je suis très contente de rencontrer Jarry. On m'avait dit qu'il était toujours ivre.

— Il devrait l'être ce soir. Je l'ai vu boire à ce dîner deux grands pleins verres d'absinthe pure. Il n'a pas l'air d'en être gêné. Voulez-vous une cigarette ? Il faut fumer soi-même pour ne pas être asphyxié par la fumée des autres. »

Il se pencha vers elle en lui offrant du feu. Elle croqua quelques cristaux :

« Mais ce n'est que du sucre candi, dit-elle, un peu déçue. J'espérais que ce serait très fort (**72**). »

Tout en causant avec Passavant, elle souriait à Bernard qui était demeuré près d'elle. Ses yeux amusés brillaient d'un éclat extraordinaire. Bernard, qui dans l'obscurité n'avait pu la voir, était frappé de sa ressemblance avec Laura (**73**). C'était le même front, les mêmes lèvres... Ses traits, il est vrai, respiraient une grâce moins angélique, et ses regards remuaient il ne savait quoi de trouble en son cœur. Un peu gêné, il se tourna vers Olivier :

« Présente-moi donc à ton ami Bercail[4]. »

Il avait déjà rencontré Bercail au Luxembourg, mais n'avait jamais causé avec lui. Bercail, un peu dépaysé dans ce milieu où venait de l'introduire Olivier, et où sa timidité

1. Les cristaux, qui ont une forme polyédrique ; **2.** Nom désignant l'*estomac* dans le langage burlesque d'*Ubu Roi ;* **3.** Alfred Jarry (1873-1907) avait écrit *Ubu Roi* en 1896 ; **4.** Cf. 1re partie, chap. 1er, p. 27.

ne se plaisait guère, rougissait chaque fois que son ami le présentait comme un des principaux rédacteurs d'*Avant-Garde*. Le fait est que ce poème allégorique, dont il parlait à Olivier au début de notre histoire[1], devait paraître en tête de la nouvelle revue, sitôt après le manifeste.

« A la place que je t'avais réservée, disait Olivier à Bernard. Je suis tellement sûr que ça te plaira! C'est de beaucoup ce qu'il y a de mieux dans le numéro. Et tellement original! »

Olivier prenait plus de plaisir à louer ses amis qu'à s'entendre louer lui-même. A l'approche de Bernard, Lucien Bercail s'était levé; il tenait sa tasse de café à la main, si gauchement que, dans son émotion, il en répandit la moitié sur son gilet. A ce moment, on entendit tout près de lui la voix mécanique de Jarry :

« Le petit Bercail va s'empoisonner, parce que j'ai mis du poison dans sa tasse (**74**). »

Jarry s'amusait de la timidité de Bercail et prenait plaisir à le décontenancer. Mais Bercail n'avait pas peur de Jarry. Il haussa les épaule et acheva tranquillement sa tasse.

« Qui donc est-ce? demanda Bernard.

— Comment! tu ne connais pas l'auteur d'*Ubu Roi?*

— Pas possible! c'est Jarry? Je le prenais pour un domestique.

— Oh! tout de même pas, dit Olivier un peu vexé, car il se faisait une fierté de ses grands hommes. Regarde-le mieux. Tu ne trouves pas qu'il est extraordinaire?

— Il fait tout ce qu'il peut pour le paraître », dit Bernard, qui ne prisait que le naturel, mais pourtant était plein de considération pour *Ubu*.

Vêtu en traditionnel Gugusse[2] d'hippodrome, tout, en Jarry, sentait l'apprêt; sa façon de parler surtout qu'imitaient à l'envi plusieurs Argonautes, martelant ses syllabes, inventant de bizarres mots, en estropiant bizarrement certains autres; mais il n'y avait vraiment que Jarry lui-même pour obtenir cette voix sans timbre, sans chaleur, sans intonation, sans relief.

« Quand on le connaît, je t'assure qu'il est charmant, reprit Olivier.

— Je préfère ne pas le connaître. Il a l'air féroce.

1. Cf. pp. 27-28; **2.** Diminutif d'*Auguste*, nom de clown.

Phot. Larousse.

Étude pour un portrait d'Alfred Jarry

par F.-A. Cazols dédicacée à Rachilde par A. Jarry.
(Collection « Anacréon ».)

— C'est un genre qu'il se donne. Passavant le croit, au fond, très doux. Mais il a terriblement bu ce soir; et pas une goutte d'eau, je te prie de le croire; ni même de vin : rien que de l'absinthe et des liqueurs fortes. Passavant craint qu'il ne commette quelque excentricité (**75**). »

[La soirée s'achève en effet par une excentricité de Jarry, qui tire un coup de revolver à blanc sur Bercail. Quant à Olivier, attiré vers Édouard par une sympathie de plus en plus vive, il demande à celui-ci de l'emmener chez lui et écrit à son frère Georges pour le prier d'aller chercher ses affaires chez le comte de Passavant. De son côté, Bernard rentre en compagnie de Sarah et passe la nuit avec elle.]

IX

[Le lendemain, Bernard, accompagné de Lucien Bercail, se rend chez Édouard à Passy. Il y tombe en plein drame : Olivier a tenté de se suicider en laissant ouvert un robinet à gaz. Et son oncle est occupé à le soigner.]

X

[Tandis qu'il est au chevet d'Olivier, Édouard reçoit une lettre de Laura : Douviers a l'intention d'aller à Paris provoquer en duel l'homme avec qui elle l'a trompé; elle conjure le romancier de dissuader son mari de ce projet insensé.
Édouard en informe Bernard et analyse avec lui le caractère de Douviers. Puis il reçoit la visite de Pauline, visite qu'il relate dans son *Journal*.]

JOURNAL D'ÉDOUARD

« Visite de Pauline. J'étais embarrassé de savoir comment la prévenir; et pourtant je ne pouvais lui laisser ignorer que son fils était malade. Ai jugé inutile de lui raconter l'incompréhensible tentative de suicide; ai simplement parlé d'une violente crise de foie, qui effectivement reste le plus clair résultat de cette entreprise.

« — Je suis déjà rassurée de savoir Olivier chez vous, m'a dit Pauline. Je ne le soignerais pas mieux que vous, car je sens bien que vous l'aimez autant que moi.

« En disant ces derniers mots, elle m'a regardé avec une bizarre insistance. Ai-je imaginé l'intention qu'elle m'a paru mettre dans ce regard? Je me sentais devant Pauline ce que l'on a coutume d'appeler « mauvaise conscience » et n'ai pu que balbutier je ne sais quoi d'indistinct. Il faut dire que, sursaturé d'émotion depuis deux jours, j'avais perdu tout empire sur moi-même; mon trouble dut être très apparent, car elle ajouta :

« — Votre rougeur est éloquente... Mon pauvre ami, n'attendez pas de moi des reproches. Je vous en ferais si vous ne l'aimiez pas... Puis-je le voir?

« Je la menai près d'Olivier; Bernard, en nous entendant venir, s'était retiré.

« — Comme il est beau! murmura-t-elle en se penchant au-dessus du lit. Puis, se retournant vers moi : — Vous l'embrasserez de ma part. Je crains de l'éveiller.

« Pauline est décidément une femme extraordinaire. Ce n'est pas d'aujourd'hui que je le pense. Mais je ne pouvais espérer qu'elle pousserait si loin sa compréhension. Toutefois il me semblait, à travers la cordialité de ses paroles et cette sorte d'enjouement qu'elle mettait dans le ton de sa voix, distinguer un peu de contrainte (peut-être en raison de l'effort que je faisais pour cacher ma gêne); et je me souvenais d'une phrase de notre conversation précédente[1], phrase qui déjà m'avait paru des plus sages alors que je n'étais pas intéressé à la trouver telle : « Je préfère accorder de bonne grâce ce que je sais que je ne pourrais pas empêcher. » Evidemment, Pauline s'efforçait vers la bonne grâce; et, comme en réponse à ma secrète pensée, elle reprit, lorsque nous fûmes de nouveau dans l'atelier :

« — En ne me scandalisant pas tout à l'heure, je crains de vous avoir scandalisé. Il est certaines libertés de pensée dont les hommes voudraient garder le monopole. Je ne puis pourtant pas feindre avec vous plus de réprobation que je n'en éprouve. La vie m'a instruite. J'ai compris combien la pureté des garçons restait précaire, alors même qu'elle paraissait le mieux préservée. De plus, je ne crois pas que les plus chastes adolescents fassent plus tard les maris les meilleurs; ni même, hélas, les plus fidèles, ajouta-t-elle en souriant tristement (**76**). Enfin, l'exemple de leur père m'a fait souhaiter d'autres vertus pour mes fils. Mais j'ai peur pour eux de la débauche, ou des liaisons dégradantes. Olivier

1. Cf. 3e partie, chap. VI, p. 90.

se laisse facilement entraîner. Vous aurez à cœur de le retenir. Je crois que vous pourrez lui faire du bien. Il ne tient qu'à vous...

« De telles paroles m'emplissaient de confusion.

« — Vous me faites meilleur que je ne suis.

« C'est tout ce que je pus trouver à dire, de la manière la plus banale et la plus empruntée. Elle reprit avec une délicatesse exquise :

« — C'est Olivier qui vous fera meilleur. Que n'obtient-on pas de soi, par amour ?

« — Oscar le sait-il près de moi ? demandai-je pour mettre un peu d'air entre nous.

« — Il ne le sait même pas à Paris. Je vous ai dit qu'il ne s'occupe pas beaucoup de ses fils. C'est pourquoi je comptais sur vous pour parler à Georges. L'aurez-vous fait ?

« — Non; pas encore.

« Le front de Pauline s'était assombri brusquement.

« — Je m'inquiète de plus en plus. Il a pris un air d'assurance, où je ne vois qu'insouciance, que cynisme et que présomption. Il travaille bien; ses professeurs sont contents de lui; mon inquiétude ne sait à quoi se prendre...

« Et, tout à coup, se départant de son calme, avec un emportement où je la reconnaissais à peine :

« — Vous rendez-vous compte de ce que devient ma vie ? J'ai restreint mon bonheur; d'année en année j'ai dû en rabattre; une à une, j'ai raccourci mes espérances. J'ai cédé; j'ai toléré; j'ai feint de ne pas comprendre, de ne pas voir... Mais enfin, on se raccroche à quelque chose; et quand encore ce peu vous échappe !... Le soir, il vient travailler près de moi, sous la lampe; quand parfois il lève la tête de dessus son livre, ce n'est pas de l'affection que je rencontre dans son regard; c'est du défi. J'ai si peu mérité cela... Il me semble parfois brusquement que tout mon amour pour lui tourne en haine; et je voudrais n'avoir jamais eu d'enfants.

« Sa voix tremblait. Je pris sa main.

« — Olivier vous récompensera; je m'y engage.

« Elle fit effort pour se ressaisir.

« — Oui, je suis folle de parler ainsi; comme si je n'avais pas trois fils. Quand je pense à l'un, je ne vois plus que celui-là... Vous allez me trouver bien peu raisonnable... Mais par moments, vraiment, la raison ne suffit plus.

« — La raison est pourtant ce que j'admire le plus en vous, dis-je platement, dans l'espoir de la calmer.

« — L'autre jour vous me parliez d'Oscar avec tant de sagesse...

« Pauline brusquement se redressa. Elle me regarda et haussa les épaules.

« — C'est toujours quand une femme se montre le plus résignée qu'elle paraît le plus raisonnable, s'écria-t-elle comme hargneusement (**77**).

« Cette réflexion m'irrita en raison de sa justesse même. Pour n'en rien laisser voir, je repris aussitôt :

« — Rien de nouveau, au sujet des lettres[1] ?

« — De nouveau ? De nouveau !... Qu'est-ce que vous voulez qui arrive de nouveau entre Oscar et moi ?

« — Il attendait une explication.

« — Moi aussi j'attendais une explication. Tout le long de la vie on attend des explications.

« — Enfin, repris-je un peu agacé, Oscar se sentait dans une situation fausse.

« — Mais, mon ami, vous savez bien qu'il n'y a rien de tel pour s'éterniser, que les situations fausses. C'est affaire à vous, romanciers, de chercher à les résoudre. Dans la vie, rien ne se résout ; tout continue (**78**). On demeure dans l'incertitude ; et on restera jusqu'à la fin sans savoir à quoi s'en tenir ; en attendant, la vie continue, continue, tout comme si de rien n'était. Et de cela aussi on prend son parti ; comme de tout le reste... comme de tout. Allons, adieu.

« Je m'affectais péniblement au retentissement de certaines sonorités nouvelles que je distinguais dans sa voix ; une sorte d'agressivité, qui me força de penser (peut-être pas à l'instant même, mais en me remémorant notre entretien) que Pauline prenait son parti beaucoup moins facilement qu'elle ne le disait, de mes rapports avec Olivier ; moins facilement que de tout le reste. Je veux croire qu'elle ne les réprouve pas précisément ; qu'elle s'en félicite même à certains égards, ainsi qu'elle me le laisse entendre ; mais, sans se l'avouer peut-être, elle ne laisse pas d'en ressentir de la jalousie.

« C'est la seule explication que je trouve à ce brusque sursaut de révolte, sitôt ensuite, et sur un sujet qui lui tenait

1. Les lettres d'amour qu'Oscar a reçues de la femme avec qui il a une liaison et que Georges a dérobées.

somme toute bien moins à cœur. On eût dit qu'en m'accordant d'abord ce qui lui coûtait davantage, elle venait d'épuiser sa réserve de mansuétude et s'en trouvait soudain dépourvue. De là, ses propos intempérés, extravagants presque, dont elle dut s'étonner elle-même en y repensant, et où sa jalousie se trahit (**79**).

« Au fond, je me demande quel pourrait être l'état d'une femme qui ne serait pas résignée ? J'entends : d'une « honnête femme »... Comme si ce que l'on appelle « honnêteté », chez les femmes, n'impliquait pas toujours résignation ! »

[Le *Journal* d'Édouard nous apprend encore qu'Olivier se rétablit peu à peu. Le jeune homme confie à son oncle que, s'il a voulu se tuer, c'est par honte de s'être enivré au cours de la soirée des *Argonautes*, et, plus généralement, pour s'être montré depuis plusieurs mois indigne de l'affection d'Édouard.]

XI

[Édouard se rend chez le comte de Passavant pour récupérer les affaires d'Olivier. L'entrevue entre les deux hommes manque un peu d'aménité. Du moins y apprenons-nous que Vincent et lady Griffith, maintenant en Afrique, se haïssent profondément et que Passavant a l'intention de remplacer Olivier, à la tête de la revue qu'il projette de lancer, par Strouvilhou. Celui-ci, qui rend visite à Passavant, lui propose de donner à la revue des tendances plus violentes : jeter bas toutes les fausses valeurs que couvrent des mots creux, tel est le programme de Strouvilhou.]

XII

Journal d'Édouard

« Rapporté à Olivier ses affaires. Sitôt de retour de chez Passavant, travail. Exaltation calme et lucide. Joie inconnue jusqu'à ce jour. Écrit trente pages des *Faux-Monnayeurs*, sans hésitation, sans ratures. Comme un paysage nocturne à la lueur soudaine d'un éclair, tout le drame surgit de l'ombre, très différent de ce que je m'efforçais en vain d'inventer. Les livres que j'ai écrits jusqu'à présent me paraissent comparables à ces bassins des jardins publics, d'un contour précis, parfait peut-être, mais où l'eau captive est sans vie (**80**). A présent, je la veux laisser couler selon sa pente, tantôt rapide et tantôt lente, en des lacis que je me refuse à prévoir.

« X. soutient que le bon romancier doit, avant de commencer son livre, savoir comment ce livre finira. Pour moi, qui laisse aller le mien à l'aventure, je considère que la vie ne nous propose jamais rien qui, tout autant qu'un aboutissement, ne puisse être considéré comme un nouveau point de départ. « Pourrait être continué... », c'est sur ces mots que je voudrais terminer mes *Faux-Monnayeurs*.

[Visite de Douviers. Sa jalousie semble un peu calmée (v. chap. x). Édouard lui rend le calme.]

« Olivier m'a demandé à quoi je travaillais. Je me suis laissé entraîner à lui parler de mon livre, et même à lui lire, tant il semblait intéressé, les pages que je venais d'écrire. Je redoutais son jugement, connaissant l'intransigeance de la jeunesse et la difficulté qu'elle éprouve à admettre un autre point de vue que le sien. Mais les quelques remarques qu'il a craintivement hasardées m'ont paru des plus judicieuses, au point que j'en ai tout aussitôt profité.

« C'est par lui, c'est à travers lui que je sens et que je respire.

« Il garde de l'inquiétude au sujet de cette revue qu'il devait diriger, et particulièrement de ce conte qu'il désavoue, écrit sur la demande de Passavant. Les nouvelles dispositions prises par celui-ci entraîneront, lui ai-je dit, un remaniement du sommaire; il pourra se ressaisir de son manuscrit.

« Reçu la visite, bien inattendue, de Monsieur le juge d'instruction Profitendieu. Il s'épongeait le front et respirait fortement, non tant essoufflé d'avoir monté mes six étages, que gêné, m'a-t-il paru. Il gardait son chapeau à la main et ne s'est assis que sur mon invite. C'est un homme de bel aspect, bien découplé et d'une indéniable prestance.

« — Vous êtes, je crois, le beau-frère du président Molinier, m'a-t-il dit. C'est au sujet de son fils Georges que je me suis permis de venir vous trouver. Vous voudrez bien sans doute, excuser une démarche qui peut d'abord vous paraître indiscrète, mais que l'affection et l'estime que je porte à mon collègue vont suffire à vous expliquer, je l'espère. [...]

« — Depuis quelque temps, des pièces de fausse monnaie circulent. J'en suis averti. Je n'ai pas encore réussi à découvrir leur provenance. Mais je sais que le jeune Georges — tout naïvement, je veux le croire — est un de ceux qui s'en servent et les mettent en circulation. Ils sont quelques-uns, de l'âge de votre neveu, qui se prêtent à ce honteux trafic. Je ne mets pas en doute qu'on n'abuse de leur innocence et que ces enfants sans discernement ne jouent le rôle de dupes entre les mains de quelques coupables aînés. Nous aurions déjà pu nous saisir des délinquants mineurs et, sans peine, leur faire avouer la provenance de ces pièces; mais je sais trop que, passé un certain point, une affaire nous échappe, pour ainsi dire... c'est-à-dire qu'une instruction ne peut pas revenir en arrière et que nous nous trouvons forcés de savoir ce que nous préférerions parfois ignorer. En l'espèce, je prétends parvenir à découvrir les vrais coupables sans recourir aux témoignages de ces mineurs. J'ai donc donné ordre qu'on ne les inquiétât point. Mais cet ordre n'est que provisoire. Je voudrais que votre neveu ne me forçât pas à le lever. Il serait bon qu'il sût qu'on a l'œil ouvert. Vous ne feriez même pas mal de l'effrayer un peu; il est sur une mauvaise pente... »

« Je protestai que je ferais de mon mieux pour l'avertir, mais Profitendieu semblait ne pas m'entendre. Son regard se perdit. Il répéta deux fois : « sur ce que l'on appelle une mauvaise pente (**81**) », puis se tut.

« Je ne sais combien de temps dura son silence. Sans qu'il formulât sa pensée, il me semblait la voir se dérouler en lui, et déjà j'entendais, avant qu'il ne me les dît, ses paroles :

« — Je suis père moi-même, Monsieur...

« Et tout ce qu'il avait dit d'abord disparut; il n'y eut plus entre nous que Bernard. Le reste n'était que prétexte; c'était pour me parler de lui qu'il venait.

« Si l'effusion me gêne, si l'exagération de sentiments m'importune, rien par contre n'était plus propre à me toucher que cette émotion contenue. Il la refoulait de son mieux, mais avec un si grand effort que ses lèvres et ses mains tremblèrent. Il ne put continuer. Soudain il cacha dans ses mains son visage, et le haut de son corps fut tout secoué de sanglots.

« — Vous voyez, balbutiait-il, vous voyez, Monsieur, qu'un enfant peut nous rendre bien misérables.

« Qu'était-il besoin de biaiser? Extrêmement ému moi-même :

« — Si Bernard vous voyait, m'écriai-je, son cœur fondrait; je m'en porte garant.

« Je ne laissais pourtant pas que d'être fort embarrassé. Bernard ne m'avait presque jamais parlé de son père. J'avais accepté qu'il eût quitté sa famille, prompt que je suis à tenir semblable désertion pour naturelle, et dispos à n'y voir que le plus grand profit pour l'enfant (**82**). Il s'y joignait, dans le cas de Bernard, l'appoint de sa bâtardise... Mais voici que se révélaient, chez son faux père, des sentiments d'autant plus forts sans doute, qu'ils échappaient à la commande et d'autant plus sincères qu'ils n'étaient en rien obligés. Et, devant cet amour, ce chagrin, force était de me demander si Bernard avait eu raison de partir. Je ne me sentais plus le cœur de l'approuver.

« — Usez de moi si vous pensez que je puisse vous être utile, lui dis-je, si vous pensez que je doive lui parler. Il a bon cœur.

« — Je sais. Je sais... Oui, vous pouvez beaucoup. Je sais qu'il était avec vous cet été. Ma police est assez bien faite... Je sais également qu'il se présente aujourd'hui même à son oral. J'ai choisi le moment où je savais qu'il devait être à la Sorbonne pour venir vous voir. Je craignais de le rencontrer.

« Depuis quelques instants, mon émotion fléchissait, car je venais de m'apercevoir que le verbe « savoir » figurait dans presque toutes ses phrases. Je devins aussitôt moins soucieux de ce qu'il me disait que d'observer ce pli qui pouvait être professionnel (**83**).

« Il me dit « savoir » également que Bernard avait très brillamment passé son écrit. La complaisance d'un examinateur, qui se trouve être de ses amis, l'avait mis à même de prendre connaissance de la composition française de son fils, qui, paraît-il, était des plus remarquables. Il parlait de Bernard avec une sorte d'admiration contenue qui me faisait douter si peut-être, après tout, il ne se croyait pas son vrai père.

« — Seigneur! ajoutait-il, n'allez surtout pas lui raconter cela! Il est de naturel si fier, si ombrageux!... S'il se doutait que, depuis son départ, je n'ai pas cessé de penser à lui, de le suivre... Mais tout de même, ce que vous pouvez lui dire, c'est que vous m'avez vu. (Il respirait péniblement entre chaque phrase.) — Ce que vous seul pouvez lui dire, c'est que je ne lui en veux pas (puis d'une voix qui faiblissait :) que je n'ai jamais cessé de l'aimer... comme un fils. Oui, je sais bien que vous savez... Ce que vous pouvez lui dire aussi... (et, sans me regarder, avec difficulté, dans un état de confusion extrême :) c'est que sa mère m'a quitté... oui, définitivement, cet été; et que, si lui, voulait revenir, je...

« Il ne put achever.

« Un gros homme robuste, positif, établi dans la vie, solidement assis dans sa carrière, qui soudain, renonçant à tout décorum, s'ouvre et se répand devant un étranger, donne à celui-ci que j'étais un spectacle bien extraordinaire. J'ai pu constater une fois de plus à cette occasion que je suis plus aisément ému par les effusions d'un inconnu que par celles d'un familier. Chercherai à m'expliquer là-dessus un autre jour.

« Profitendieu ne me cacha pas les préventions qu'il nourrissait d'abord à mon égard, s'étant mal expliqué, s'expliquant mal encore, que Bernard ait déserté son foyer pour me rejoindre. C'était ce qui l'avait retenu d'abord de chercher à me voir. Je n'osai point lui raconter l'histoire de ma valise[1] et ne parlai que de l'amitié de son fils pour Olivier, à la faveur de laquelle, lui dis-je, nous nous étions vite liés.

« — Ces jeunes gens, reprenait Profitendieu, s'élancent dans la vie sans savoir à quoi ils s'exposent. L'ignorance des dangers fait leur force, sans doute. Mais nous qui savons, nous les pères, nous tremblons pour eux. Notre sollicitude les irrite, et le mieux est de ne pas trop la leur laisser voir. Je sais qu'elle s'exerce bien importunément et maladroitement quelquefois. Plutôt que répéter sans cesse à l'enfant que le feu brûle, consentons à le laisser un peu se brûler. L'expérience instruit plus sûrement que le conseil (**84**). J'ai toujours accordé le plus de liberté possible à Bernard. Jusqu'à l'amener à croire, hélas! que je ne me souciais pas beaucoup de lui. Je crains qu'il ne s'y soit mépris; de là sa fuite. Même alors, j'ai cru bon de le laisser faire; tout en veillant sur lui de loin, sans qu'il s'en doute. Dieu merci, je disposais de moyens pour cela. (Évidemment Profitendieu reportait là-dessus son orgueil, et se montrait particulièrement fier de l'organisation de sa police; c'est la troisième fois qu'il m'en parlait.) J'ai cru qu'il fallait me garder de diminuer aux yeux de cet enfant les risques de son initiative.

1. Cf. 1re partie, chap. x, p. 47.

Vous avouerai-je que cet acte d'insoumission, malgré la peine qu'il m'a causée, n'a fait que m'attacher à lui davantage ? J'ai su y voir une preuve de courage, de valeur...

« A présent qu'il se sentait en confiance, l'excellent homme ne tarissait plus. Je tâchai de ramener la conversation vers ce qui m'intéressait davantage et, coupant court, lui demandai s'il avait vu ces fausses pièces dont il m'avait parlé d'abord. J'étais curieux de savoir si elles étaient semblables à la piécette de cristal que Bernard nous avait montrée. Je ne lui eus pas plus tôt parlé de celle-ci que Profitendieu changea de visage ; ses paupières se fermèrent à demi, tandis qu'au fond de ses yeux s'allumait une flamme bizarre ; sur ses tempes, la patte d'oie se marqua ; ses lèvres se pincèrent ; l'attention tira vers en haut tous ses traits (**85**). De tout ce qu'il m'avait dit d'abord, il ne fut plus question. Le juge envahissait le père, et rien plus n'existait pour lui que le métier. Il me pressa de questions, prit des notes et parla d'envoyer un agent à Saas-Fée, pour relever les noms des voyageurs sur les registres des hôtels.

« — Encore que, vraisemblablement, ajouta-t-il, cette fausse pièce ait été remise à votre épicier par un aventurier de passage et dans un lieu qu'il n'aura fait que traverser.

« A quoi je répliquai que Saas-Fée se trouvait au fond d'une impasse et qu'on ne pouvait facilement y aller et en revenir dans une même journée. Il se montra particulièrement satisfait de ce dernier renseignement et me quitta là-dessus, après m'avoir chaudement remercié, l'air absorbé, ravi, et sans plus du tout reparler ni de Georges ni de Bernard (**86**). »

XIII

Bernard devait éprouver ce matin-là que, pour une nature généreuse autant que la sienne, il n'y a pas de plus grande joie que de réjouir un autre être. Cette joie lui était refusée. Il venait d'être reçu à son examen avec mention, et, ne trouvant personne près de lui à qui annoncer cette heureuse nouvelle, celle-ci lui pesait. Bernard savait bien que celui qui s'en serait montré le plus satisfait, c'était son père. Même il hésita un instant s'il n'irait pas aussitôt le lui apprendre (**87**) ; mais l'orgueil le retint. Édouard ? Olivier ? C'était vraiment donner trop d'importance à un diplôme. Il était bachelier.

La belle avance! C'est à présent que la difficulté commençait.

Dans la cour de la Sorbonne, il vit un de ses camarades, reçu comme lui, qui s'écartait des autres et pleurait. Ce camarade était en deuil. Bernard savait qu'il venait de perdre sa mère. Un grand élan de sympathie le poussait vers l'orphelin; il s'approcha; puis, par absurde pudeur, passa outre. L'autre, qui le vit s'approcher, puis passer, eut honte de ses larmes; il estimait Bernard et souffrit de ce qu'il prit pour du mépris.

Bernard entra dans le jardin du Luxembourg. Il s'assit sur un banc, dans cette même partie du jardin où il était venu retrouver Olivier le soir où il cherchait asile. L'air était presque tiède et l'azur lui riait à travers les rameaux déjà dépouillés des grands arbres. On doutait si vraiment on s'acheminait vers l'hiver; des oiseaux roucoulants s'y trompaient. Mais Bernard ne regardait pas le jardin; il voyait devant lui l'océan de la vie s'étendre (**88**). On dit qu'il est des routes sur la mer; mais elles ne sont pas tracées, et Bernard ne savait quelle était la sienne.

Il méditait depuis quelques instants, lorsqu'il vit s'approcher de lui, glissant et d'un pied si léger qu'on sentait qu'il eût pu poser sur les flots, un ange. Bernard n'avait jamais vu d'anges, mais il n'hésita pas un instant, et lorsque l'ange lui dit : « Viens », il se leva docilement et le suivit. Il n'était pas plus étonné qu'il ne l'eût été dans un rêve. Il chercha plus tard à se souvenir si l'ange l'avait pris par la main; mais en réalité ils ne se touchèrent point et même gardaient entre eux un peu de distance. Ils retournèrent tous deux dans cette cour où Bernard avait laissé l'orphelin, bien résolus à lui parler; mais la cour à présent était vide.

Bernard s'achemina, l'ange l'accompagnant, vers l'église de la Sorbonne, où l'ange entra d'abord, où Bernard n'était jamais entré. D'autres anges circulaient dans ce lieu; mais Bernard n'avait pas les yeux qu'il fallait pour les voir. Une paix inconnue l'enveloppait. L'ange approcha du maître-autel et Bernard, lorsqu'il le vit s'agenouiller, s'agenouilla de même auprès de lui. Il ne croyait à aucun dieu, de sorte qu'il ne pouvait prier; mais son cœur était envahi d'un amoureux besoin de don, de sacrifice; il s'offrait. Son émotion demeurait si confuse qu'aucun mot ne l'eût exprimée; mais soudain le chant de l'orgue s'éleva.

« Tu t'offrais de même à Laura (**89**) », dit l'ange; et Bernard sentit sur ses joues ruisseler des larmes. « Viens, suis-moi. »

Bernard, tandis que l'ange l'entraînait, se heurta presque à l'un de ses anciens camarades qui venait de passer lui aussi son oral. Bernard le tenait pour un cancre et s'étonnait qu'on l'eût reçu. Le cancre n'avait pas remarqué Bernard, qui le vit glisser dans la main du bedeau de l'argent pour payer un cierge. Bernard haussa les épaules et sortit.

Quand il se retrouva dans la rue, il s'aperçut que l'ange l'avait quitté. Il entra dans un bureau de tabac, celui précisément où Georges, huit jours plus tôt, avait risqué sa fausse pièce. Il en avait fait passer bien d'autres depuis. Bernard acheta un paquet de cigarettes et fuma. Pourquoi l'ange était-il parti ? Bernard et lui n'avaient-ils donc rien à se dire ?... Midi sonna. Bernard avait faim. Rentrerait-il à la pension ? Irait-il rejoindre Olivier, partager avec lui le déjeuner d'Édouard (**90**) ?... Il s'assura d'avoir assez d'argent en poche et entra dans un restaurant. Comme il achevait de manger, une voix douce[1] murmura :

« Le temps est venu de faire tes comptes. »

Bernard tourna la tête. L'ange était de nouveau près de lui.

« Il va falloir se décider, disait-il. Tu n'as vécu qu'à l'aventure. Laisseras-tu disposer de toi le hasard ? Tu veux servir à quelque chose. Il importe de savoir à quoi.

— Enseigne-moi; guide-moi », dit Bernard.

L'ange mena Bernard dans une salle emplie de monde. Au fond de la salle était une estrade, et sur cette estrade une table recouverte d'un tapis grenat. Assis derrière la table, un homme encore jeune parlait.

« C'est une bien grande folie, disait-il, que de prétendre rien découvrir. Nous n'avons rien que nous n'ayons reçu. Chacun de nous se doit de comprendre, encore jeune, que nous dépendons d'un passé et que ce passé nous oblige. Par lui, tout notre avenir est tracé. »

Quand il eut achevé de développer ce thème, un autre orateur prit sa place et commença par l'approuver, puis s'éleva contre le présomptueux qui prétend vivre sans doctrine, ou se guider lui-même et d'après ses propres clartés.

1. La voix de l'ange.

« Une doctrine nous est léguée, disait-il. Elle a déjà traversé bien des siècles. C'est la meilleure assurément et c'est la seule; chacun de nous se doit de le prouver. C'est celle que nous ont transmise nos maîtres. C'est celle de notre pays, qui, chaque fois qu'il la renie doit payer chèrement son erreur. L'on ne peut être bon Français sans la connaître, ni réussir rien de bon sans s'y ranger (**91**). »

A ce second orateur, un troisième succéda, qui remercia les deux autres d'avoir si bien tracé ce qu'il appela la théorie de leur programme; puis établit que ce programme ne comportait rien de moins que la régénération de la France, grâce à l'effort de chacun des membres de leur parti. Lui se disait homme d'action; il affirmait que toute théorie trouve dans la pratique sa fin et sa preuve, et que tout bon Français se devait d'être combattant.

« Mais hélas! ajoutait-il, que de forces isolées, perdues! Quelle ne serait pas la grandeur de notre pays, le rayonnement des œuvres, la mise en valeur de chacun, si ces forces étaient ordonnées, si ces œuvres célébraient la règle, si chacun s'enrégimentait (**92**)! »

Et tandis qu'il continuait, des jeunes gens commencèrent à circuler dans l'assistance, distribuant des bulletins d'adhésion, sur lesquels il ne restait qu'à apposer sa signature.

« Tu voulais t'offrir, dit alors l'ange. Qu'attends-tu? »

Bernard prit une de ces feuilles qu'on lui tendait, dont le texte commençait par ces mots : « Je m'engage solennellement à... » Il lut, puis regarda l'ange et vit que celui-ci souriait; puis il regarda l'assemblée, et reconnut parmi les jeunes gens le nouveau bachelier de tantôt qui, dans l'église de la Sorbonne, brûlait un cierge en reconnaissance de son succès; et soudain, un peu plus loin, il aperçut son frère aîné[1], qu'il n'avait pas revu depuis qu'il avait quitté la maison paternelle. Bernard ne l'aimait pas et jalousait un peu la considération que semblait lui accorder leur père. Il froissa nerveusement le bulletin.

« Tu trouves que je devrais signer?

— Oui, certes, si tu doutes de toi, dit l'ange.

— Je ne doute plus », dit Bernard, qui jeta loin de lui le papier.

L'orateur cependant continuait. Quand Bernard recom-

1. Charles, l'avocat (cf. 1re partie, chap. II, p. 32).

mença de l'écouter, il enseignait un moyen certain de ne jamais se tromper, qui était de renoncer à jamais juger par soi-même, mais bien de s'en remettre toujours aux jugements de ses supérieurs.

« Ces supérieurs, qui sont-ils ? demanda Bernard; et soudain une grande indignation s'empara de lui.

— Si tu montais sur l'estrade, dit-il à l'ange, et si tu t'empoignais avec lui, tu le terrasserais sans doute... »

Mais l'ange, en souriant :

« C'est contre toi que je lutterai (**93**). Ce soir, veux-tu ?

— Oui », dit Bernard.

Ils sortirent. Ils gagnèrent les grands boulevards. La foule qui s'y pressait paraissait uniquement composée de gens riches; chacun paraissait sûr de soi, indifférent aux autres, mais soucieux.

« Est-ce l'image du bonheur ? » demanda Bernard, qui sentit son cœur plein de larmes.

Puis l'ange mena Bernard dans de pauvres quartiers, dont Bernard ne soupçonnait pas auparavant la misère. Le soir tombait. Ils errèrent longtemps entre de hautes maisons sordides qu'habitaient la maladie, la prostitution, la honte, le crime et la faim (**94**). C'est alors seulement que Bernard prit la main de l'ange, et l'ange se détournait de lui pour pleurer.

Bernard ne dîna pas ce soir-là; et quand il rentra à la pension, il ne chercha pas à rejoindre Sarah, ainsi qu'il avait fait les autres soirs, mais monta tout droit à cette chambre qu'il occupait avec Boris.

Boris était déjà couché, mais ne dormait pas encore. Il relisait, à la clarté d'une bougie, la lettre qu'il avait reçue de Bronja[1] le matin même de ce jour.

« Je crains, lui disait son amie, de ne jamais plus te revoir. J'ai pris froid à mon retour en Pologne. Je tousse; et bien que le médecin me le cache, je sens que je ne peux plus vivre longtemps. »

En entendant approcher Bernard, Boris cacha la lettre sous son oreiller et souffla précipitamment sa bougie.

Bernard s'avança dans le noir. L'ange était entré dans la chambre avec lui, mais bien que la nuit ne fût pas très obscure, Boris ne voyait que Bernard.

1. La fille de Sophroniska, à laquelle Boris voue une sorte d'adoration.

« Dors-tu ? » demanda Bernard à voix basse. Et comme Boris ne répondait pas, Bernard en conclut qu'il dormait.

« Alors, maintenant, à nous deux », dit Bernard à l'ange. Et toute cette nuit, jusqu'au petit matin, ils luttèrent.

Boris voyait confusément Bernard s'agiter. Il crut que c'était sa façon de prier et prit garde de ne point l'interrompre. Pourtant il aurait voulu lui parler, car il sentait une grande détresse. S'étant levé, il s'agenouilla au pied de son lit. Il aurait voulu prier, mais ne pouvait que sangloter :

« Ô Bronja, toi qui vois les anges, toi qui devais m'ouvrir les yeux, tu me quittes ! Sans toi, Bronja, que deviendrai-je ? Qu'est-ce que je vais devenir ? »

Bernard et l'ange étaient trop occupés pour l'entendre. Tous deux luttèrent jusqu'à l'aube. L'ange se retira sans qu'aucun des deux fût vainqueur (**95**).

Lorsque, plus tard, Bernard sortit à son tour de la chambre, il croisa Rachel[1] dans le couloir.

« J'ai à vous parler », lui dit-elle. Sa voix était si triste que Bernard comprit aussitôt tout ce qu'elle avait à lui dire. Il ne répondit rien, courba la tête, et par grande pitié pour Rachel, soudain prit Sarah en haine et le plaisir qu'il goûtait avec elle en horreur.

XIV

Vers dix heures, Bernard s'amena chez Édouard, avec un sac à main qui suffisait à contenir le peu de vêtements, de linge et de livres qu'il possédait. Il avait pris congé d'Azaïs et de madame Vedel, mais n'avait pas cherché à revoir Sarah.

Bernard était grave. Sa lutte avec l'ange l'avait mûri. Il ne ressemblait déjà plus à l'insouciant voleur de valise qui croyait qu'en ce monde il suffit d'oser. Il commençait à comprendre que le bonheur d'autrui fait souvent les frais de l'audace.

« Je viens chercher asile près de vous, dit-il à Édouard. De nouveau me voici sans gîte.

— Pourquoi quittez-vous les Vedel ?

— De secrètes raisons... permettez-moi de ne pas vous les dire. »

1. Sœur de Sarah. C'est sur elle que repose la bonne marche de la pension Vedel-Azaïs.

Édouard avait observé Bernard et Sarah, le soir du banquet, assez pour comprendre à peu près ce silence.

« Suffit, dit-il en souriant. Le divan de mon atelier est à votre disposition pour la nuit. Mais il me faut vous dire d'abord que votre père est venu hier me parler. Et il lui rapporta cette partie de leur conversation qu'il jugeait propre à le toucher. — Ce n'est pas chez moi que vous devriez coucher ce soir, mais chez lui. Il vous attend (**96**). »

Bernard cependant se taisait.

« Je vais y réfléchir, dit-il enfin. Permettez, en attendant, que je laisse ici mes affaires. Puis-je voir Olivier?

— Le temps est si beau que je l'ai engagé à prendre l'air. Je voulais l'accompagner, car il est encore très faible; mais il a préféré sortir seul. Du reste, il est parti depuis une heure et ne tardera pas à rentrer. Attendez-le... Mais, j'y pense... et votre examen?

— Je suis reçu; cela n'a pas d'importance. Ce qui m'importe, c'est ce que je vais faire à présent. Savez-vous ce qui me retient surtout de retourner chez mon père? C'est que je ne veux pas de son argent. Vous me trouvez sans doute absurde de faire fi de cette chance; mais c'est une promesse que je me suis faite à moi-même, de m'en passer. Il m'importe de me prouver que je suis un homme de parole, quelqu'un sur qui je peux compter.

— Je vois surtout là de l'orgueil.

— Appelez cela du nom qu'il vous plaira : orgueil, présomption, suffisance... Le sentiment qui m'anime, vous ne le discréditerez pas à mes yeux. Mais, à présent, voici ce que je voudrais savoir : pour se diriger dans la vie, est-il nécessaire de fixer les yeux sur un but?

— Expliquez-vous.

— J'ai débattu cela toute la nuit. A quoi faire servir cette force que je sens en moi? Comment tirer le meilleur parti de moi-même? Est-ce en me dirigeant vers un but? Mais ce but, comment le choisir? Comment le connaître, aussi longtemps qu'il n'est pas atteint?

— Vivre sans but, c'est laisser disposer de soi l'aventure.

— Je crains que vous ne me compreniez pas bien. Quand Colomb découvrit l'Amérique, savait-il vers quoi il voguait? Son but était d'aller devant, tout droit. Son but, c'était lui, et qui le projetait devant lui-même (**97**)...

— J'ai souvent pensé, interrompit Édouard, qu'en art,

et en littérature en particulier, ceux-là seuls comptent qui se lancent vers l'inconnu. On ne découvre pas de terre nouvelle sans consentir à perdre de vue, d'abord et longtemps, tout rivage. Mais nos écrivains craignent le large ; ce ne sont que des côtoyeurs (**98**).

— Hier, en sortant de mon examen, continua Bernard sans l'entendre, je suis entré, je ne sais quel démon me poussant, dans une salle où se tenait une réunion publique. Il y était question d'honneur national, de dévouement à la patrie, d'un tas de choses qui me faisaient battre le cœur. Il s'en est fallu de bien peu que je ne signe certain papier, où je m'engageais, sur l'honneur, à consacrer mon activité au service d'une cause qui certainement m'apparaissait belle et noble.

— Je suis heureux que vous n'ayez pas signé. Mais, ce qui vous a retenu ?

— Sans doute quelque secret instinct... Bernard réfléchit quelques instants, puis ajouta en riant : — Je crois que c'est surtout la tête des adhérents ; à commencer par celle de mon frère aîné, que j'ai reconnu dans l'assemblée. Il m'a paru que tous ces jeunes gens étaient animés par les meilleurs sentiments du monde et qu'ils faisaient fort bien d'abdiquer leur initiative, car elle ne les eût pas menés loin, leur jugeote, car elle était insuffisante, et leur indépendance d'esprit, car elle eût été vite aux abois. Je me suis dit également qu'il était bon pour le pays qu'on pût compter parmi les citoyens un grand nombre de ces bonnes volontés ancillaires (**99**) ; mais que ma volonté à moi ne serait jamais de celles-là. C'est alors que je me suis demandé comment établir une règle, puisque je n'acceptais pas de vivre sans règle, et que cette règle je ne l'acceptais pas d'autrui.

— La réponse me paraît simple : c'est de trouver cette règle en soi-même ; d'avoir pour but le développement de soi (**100**).

— Oui..., c'est bien là ce que je me suis dit. Mais je n'en ai pas été plus avancé pour cela. Si encore j'étais certain de préférer en moi le meilleur, je lui donnerais le pas sur le reste. Mais je ne parviens pas même à connaître ce que j'ai de meilleur en moi... J'ai débattu toute la nuit, vous dis-je. Vers le matin, j'étais si fatigué que je songeais à devancer l'appel de ma classe ; à m'engager[1].

1. Il devrait plutôt dire : *à m'enrégimenter* (cf. chap. précédent).

— Échapper à la question n'est pas la résoudre.

— C'est ce que je me suis dit, et que cette question, pour être ajournée, ne se poserait à moi que plus gravement après mon service. Alors je suis venu vous trouver pour écouter votre conseil.

— Je n'ai pas à vous en donner. Vous ne pouvez trouver ce conseil qu'en vous-même, ni apprendre comment vous devez vivre, qu'en vivant.

— Et si je vis mal, en attendant d'avoir décidé comment vivre ?

— Ceci même vous instruira. Il est bon de suivre sa pente, pourvu que ce soit en montant (**101**).

— Plaisantez-vous ?... Non ; je crois que je vous comprends, et j'accepte cette formule. Mais tout en me développant, comme vous dites, il va me falloir gagner ma vie. Que penseriez-vous d'une reluisante annonce dans les journaux : « *Jeune homme de grand avenir, employable à n'importe quoi.* »

Édouard se mit à rire.

« Rien de plus difficile à obtenir que *n'importe quoi*. Mieux vaudrait préciser.

— Je pensais à quelqu'un de ces nombreux petits rouages dans l'organisation d'un grand journal. Oh ! j'accepterais un poste subalterne : correcteur d'épreuves[1], prote[2]... que sais-je ? J'ai besoin de si peu ! »

Il parlait avec hésitation. En vérité, c'est une place de secrétaire qu'il souhaitait ; mais il craignait de le dire à Édouard, à cause de leur déconvenue réciproque. Après tout, ce n'était pas sa faute, à lui, Bernard, si cette tentative de secrétariat avait si piteusement échoué.

« Je pourrai peut-être, dit Édouard, vous faire entrer au *Grand Journal*, dont je connais le directeur... »

Tandis que Bernard et Édouard conversaient ainsi, Sarah avait avec Rachel une explication des plus pénibles. Que les remontrances de Rachel aient été cause du brusque départ de Bernard, c'est ce que Sarah comprenait soudain ; et elle s'indignait contre sa sœur qui, disait-elle, empêchait autour d'elle toute joie. Elle n'avait pas le droit d'imposer aux autres une vertu que son exemple suffisait à rendre odieuse.

1. *Épreuves :* feuilles imprimées, sur lesquelles on peut faire figurer des corrections avant l'impression définitive ; 2. Technicien chargé de surveiller le travail dans une imprimerie ; c'est, en fait, un poste important.

Rachel, que ces accusations bouleversaient, car elle s'était toujours sacrifiée, protestait, très pâle et les lèvres tremblantes :

« Je ne puis pas te laisser te perdre. »

Mais Sarah sanglotait et criait :

« Je ne peux pas croire à ton ciel. Je ne veux pas être sauvée (**102**). »

Elle décida tout aussitôt de repartir pour l'Angleterre, où la recevrait son amie. Car, « après tout, elle était libre et prétendait vivre comme bon lui semblait ». Cette triste querelle laissa Rachel brisée.

XV

[Édouard raconte, dans son *Journal*, qu'il s'est rendu à la pension Vedel. Il y a d'abord rencontré le pauvre vieux La Pérouse, que les élèves chahutent à qui mieux mieux et qui se plaint de l'indifférence de son petit-fils, Boris. Le vieillard est, en outre, dans un état de déficience mentale inquiétant : non seulement il a perdu le sommeil, mais encore il croit sans cesse entendre un bruit qui n'existe pas.

Édouard a eu ensuite une entrevue avec Georges pour lui faire savoir que la justice est au courant du trafic de fausse monnaie dans lequel il est impliqué. Dès son retour auprès de ses camarades, l'enfant les avertit du danger qui les menace tous : ils rassemblent alors les fausses pièces qui sont en leur possession et les remettent à Ghéridanisol. Celui-ci se charge de les jeter, sans oublier d'ailleurs de prévenir Strouvilhou.]

XVI

[Olivier, maintenant convalescent, reçoit la visite d'Armand Vedel, qui vient d'être nommé rédacteur en chef de la revue de Passavant. Au cours de l'entretien, Armand en vient à définir sa propre nature. Ce fils de pasteur, que sa famille destinait également à être pasteur, réagit violemment contre son éducation puritaine. La foi, la vertu ne provoquent plus que ses ricanements.

Avant de quitter Olivier, Armand lui fait lire une lettre qui lui donne des nouvelles de Vincent, son frère. Celui-ci, devenu à moitié fou, s'est fixé sur les bords de la Casamance, en pleine Afrique noire, et lady Griffith s'est noyée dans le fleuve, où elle a sans doute été jetée par son amant.]

XVII

[Le petit Boris, informé de la mort de Bronja, la fille de Sophroniska, sent peser sur lui une solitude plus insupportable que jamais. Les autres élèves se moquent de lui, de sa « voix musicale », de son « air de fille ». Pour triompher de ce dédain, il se sent prêt à risquer « n'importe quoi de dangereux, d'absurde », qui lui rende la « considération » de ses camarades.]

L'occasion s'en offrit bientôt.

Après qu'ils eurent dû renoncer à leur trafic de fausses pièces[1], Ghéridanisol, Georges et Phiphi ne restèrent pas longtemps désœuvrés. Les menus jeux saugrenus auxquels ils se livrèrent les premiers jours n'étaient que des intermèdes. L'imagination de Ghéridanisol fournit bientôt quelque chose de plus corsé.

La *confrérie des Hommes Forts* (**103**) n'eut pour raison d'être d'abord que le plaisir de n'y point admettre Boris. Mais il apparut à Ghéridanisol bientôt qu'il serait au contraire bien plus pervers de l'y admettre; ce serait le moyen de l'amener à prendre tels engagements par lesquels on pourrait l'entraîner ensuite jusqu'à quelque acte monstrueux. Dès lors cette idée l'habita; et comme il advient souvent dans une entreprise, Ghéridanisol songea beaucoup moins à la chose même qu'aux moyens de la faire réussir; ceci n'a l'air de rien, mais peut expliquer bien des crimes. Au demeurant, Ghéridanisol était féroce; mais il sentait le besoin, aux yeux de Phiphi tout au moins, de cacher cette férocité. Phiphi n'avait rien de cruel; il resta convaincu jusqu'au dernier moment qu'il ne s'agissait que d'un jeu.

A toute confrérie il faut une devise[2]. Ghéridanisol, qui avait son idée proposa : « L'homme fort ne tient pas à la vie. » La devise fut adoptée, et attribuée à Cicéron. Comme signe distinctif, Georges proposa un tatouage au bras droit; mais Phiphi, qui craignait la douleur, affirmait qu'on ne trouvait de bon tatoueur que dans les ports. De plus, Ghéridanisol objecta que le tatouage laissait une trace indélébile qui, par la suite, pourrait les gêner. Après tout, le signe distinctif n'était pas des plus nécessaires; les affiliés se contenteraient de prononcer un engagement solennel.

Quand il s'était agi du trafic de fausse monnaie, il avait été question de gages, et c'est à ce propos que Georges avait

1. Cf. 3e partie, chap. XV, p. 115; **2.** A l'origine, une *confrérie* était une association inspirée par un motif religieux ou charitable. C'est ce motif qui devait s'exprimer dans une *devise*.

exhibé les lettres de son père[1]. Mais on avait cessé d'y penser. Ces enfants, fort heureusement, n'ont pas beaucoup de constance. Somme toute, ils n'arrêtèrent presque rien, non plus au sujet des « conditions d'admission » que des « qualités requises ». A quoi bon, puisqu'il restait acquis que tous trois « en étaient », et que Boris « n'en était pas ». Par contre, ils décrétèrent que « celui qui canerait[2] serait considéré comme un traître, à tout jamais rejeté de la confrérie (**104**). » Ghéridanisol, qui s'était mis en tête d'y faire entrer Boris, insista beaucoup sur ce point.

Il fallait reconnaître que, sans Boris, le jeu restait morne et la vertu de la confrérie sans emploi. Pour circonvenir l'enfant, Georges était mieux qualifié que Ghéridanisol; celui-ci risquait d'éveiller sa méfiance; quant à Phiphi, il n'était pas assez retors et préférait ne point se commettre.

Et c'est peut-être là, dans cette abominable histoire, ce qui me paraît le plus monstrueux : cette comédie d'amitié que Georges consentit à jouer (**105**). Il affecta de s'éprendre pour Boris d'une affection subite; jusqu'alors on eût dit qu'il ne l'avait pas regardé. Et j'en viens à douter s'il ne fut pas pris lui-même à son jeu, si les sentiments qu'il feignit n'étaient pas près de devenir sincères, si même ils ne l'étaient pas devenus dès l'instant que Boris y avait répondu. Il se penchait vers lui avec l'apparence de la tendresse; instruit par Ghéridanisol, il lui parlait... Et dès les premiers mots, Boris, qui bramait[3] après un peu d'estime et d'amour, fut conquis.

Alors Ghéridanisol élabora son plan, qu'il découvrit à Phiphi et à Georges. Il s'agissait d'inventer une « épreuve » à laquelle serait tenu de se soumettre celui des affiliés qui serait désigné par le sort; et, pour bien rassurer Phiphi, il fit entendre qu'on s'arrangerait de manière que le sort ne pût désigner que Boris. L'épreuve aurait pour but de s'assurer de son courage.

Ce que serait au juste cette épreuve, Ghéridanisol ne le laissait pas encore entrevoir. Il se doutait que Phiphi opposerait quelque résistance.

« Ah! ça, non; je ne marche pas », déclara-t-il en effet, lorsque un peu plus tard Ghéridanisol commença d'insinuer

1. Cf. 3e partie, chap. VI, p. 90; **2.** Familier pour : *flancherait, serait défaillant ;* **3.** Le *brame* est le cri du cerf. Il exprime le désespoir de l'animal quand il est traqué.

que le pistolet du Père Lapère[1] pourrait bien trouver ici son emploi.

« Mais que t'es bête! Puisque c'est de la blague, ripostait Georges déjà conquis.

— Et puis, tu sais, ajoutait Ghéri, si ça t'amuse de faire l'idiot, tu n'as qu'à le dire. On n'a pas besoin de toi. »

Ghéridanisol savait qu'un tel argument prenait toujours sur Phiphi; et comme il avait préparé la feuille d'engagement sur laquelle chacun des membres de la confrérie devait inscrire son nom :

« Seulement il faut le dire tout de suite; parce que, après que tu auras signé, ce sera trop tard.

— Allons! Ne te fâche pas, dit Phiphi. Passe-moi la feuille. » — Et il signa.

« Moi, mon petit, je voudrais bien, disait Georges, le bras tendrement passé autour du cou de Boris; c'est Ghéridanisol qui ne veut pas de toi.

— Pourquoi?

— Parce qu'il n'a pas confiance. Il dit que tu flancheras[2].

— Qu'est-ce qu'il en sait?

— Que tu te défileras[3] dès la première épreuve.

— On verra bien.

— C'est vrai que tu oserais tirer au sort?

— Parbleu.

— Mais tu sais à quoi ça engage? »

Boris ne savait pas, mais il voulait savoir. Alors l'autre lui expliqua. « L'homme fort ne tenait pas à la vie. » C'était à voir.

Boris sentit un grand chavirement dans sa tête; mais il se raidit et cachant son trouble :

« C'est vrai que vous avez signé?

— Tiens, regarde. » Et Georges lui tendit la feuille sur laquelle Boris put lire les trois noms.

« Est-ce que..., commença-t-il craintivement.

— Est-ce que quoi?... » interrompit Georges, si brutalement que Boris n'osa continuer. Ce qu'il aurait voulu demander, Georges le comprenait bien : c'était si les autres

1. Nom irrespectueux que les enfants donnent au vieux La Pérouse. On se souvient que celui-ci avait formé le projet de se suicider (cf. 1re partie, chap. XVIII, pp. 62-63), sans avoir ensuite le courage de mettre ce projet à exécution (cf. 3e partie, chap. III, p. 80); **2.** Tu n'iras pas jusqu'au bout; **3.** Tu te déroberas.

s'étaient engagés tout de même, et si l'on pouvait être sûr qu'eux non plus ne flancheraient pas.

« Non, rien », dit-il; mais dès cet instant, il commença de douter des autres; il commença de se douter que les autres se réservaient et n'y allaient pas de franc jeu. — Tant pis, pensa-t-il aussitôt; qu'importe s'ils flanchent; je leur montrerai que j'ai plus de cœur qu'eux. Puis, regardant Georges droit dans les yeux :

« Dis à Ghéri qu'on peut compter sur moi.

— Alors, tu signes? »

Oh! ce n'était plus nécessaire : on avait sa parole. Il dit simplement :

« Si tu veux. » Et au-dessous de la signature des trois *Hommes Forts*, sur la feuille maudite, il inscrivit son nom, d'une grande écriture appliquée.

Georges triomphant rapporta la feuille aux deux autres. Ils accordèrent que Boris avait agi très crânement. Tous trois délibérèrent.

« Bien sûr! on ne chargerait pas le pistolet. Du reste on n'avait pas de cartouches. La crainte que gardait Phiphi venait de ce qu'il avait entendu dire que parfois une émotion trop vive suffisait à occasionner la mort. Son père, affirmait-il, citait le cas d'un simulacre d'exécution qui... Mais Georges l'envoyait paître :

« Ton père est du Midi[1]. »

Non, Ghéridanisol ne chargerait pas le pistolet. Il n'était plus besoin. La cartouche que La Pérouse y avait mise un jour, La Pérouse ne l'avait pas enlevée[2]. C'est ce que Ghéridanisol avait constaté, mais qu'il s'était gardé de dire aux autres.

On mit les noms dans un chapeau; quatre petits billets semblables et uniformément repliés. Ghéridanisol, qui devait « tirer », avait eu soin d'inscrire le nom de Boris en double sur un cinquième qu'il garda dans sa main; et, comme par hasard, ce fut celui-là qui sortit. Boris eut le soupçon que l'on trichait; mais se tut. A quoi bon protester? Il savait qu'il était perdu. Pour se défendre, il n'eût pas fait le moindre geste; et même, si le sort avait désigné l'un des

1. De Corse, plus exactement; 2. Lors de la tentative de suicide, où il n'avait pas eu le courage d'aller jusqu'au bout.

autres, il se serait offert pour le remplacer, tant son désespoir était grand.

« Mon pauvre vieux, tu n'as pas de veine », crut devoir dire Georges. Le ton de sa voix sonnait si faux que Boris le regarda tristement.

« C'était couru », dit-il.

Après quoi l'on décida de procéder à une répétition. Mais comme on courait le risque d'être surpris, il fut convenu qu'on ne se servirait pas tout de suite du pistolet (**106**). Ce n'est qu'au dernier moment, et quand on jouerait « pour de vrai », qu'on le sortirait de sa boîte. Rien ne devait donner l'éveil.

On se contenta donc, ce jour-là, de convenir de l'heure et du lieu, lequel fut marqué d'un rond de craie sur le plancher. C'était, dans la salle d'études, cette encoignure que formait, à droite de la chaire, une porte condamnée qui ouvrait autrefois sous la voûte d'entrée. Quant à l'heure, ce serait celle de l'étude. Cela devait se passer sous les yeux de tous les élèves; ça leur en boucherait un coin[1].

On répéta, tandis que la salle était vide, les trois conjurés seuls témoins. Mais, somme toute, cette répétition ne rimait pas à grand-chose. Simplement, on put constater que, de la place qu'occupait Boris à celle désignée par la craie, il y avait juste douze pas.

« Si tu n'as pas le trac, tu n'en feras pas un de plus, dit Georges.

— Je n'aurai pas le trac », dit Boris, que ce doute persistant insultait. La fermeté de ce petit commençait à impressionner les trois autres. Phiphi estimait qu'on aurait dû s'en tenir là. Mais Ghéridanisol se montrait résolu à pousser la plaisanterie jusqu'au bout.

« Eh bien! à demain, dit-il, avec un bizarre sourire d'un coin de la lèvre seulement.

— Si on l'embrassait! » s'écria Phiphi dans l'enthousiasme. Il songeait à l'accolade des preux chevaliers; et soudain il serra Boris dans ses bras. Boris eut bien du mal à retenir ses larmes quand Phiphi, sur ses joues, fit sonner deux gros baisers d'enfant. Ni Georges, ni Ghéri n'imitèrent Phiphi; l'attitude de celui-ci ne paraissait à Georges pas très digne. Quant à Ghéri, ce qu'il s'en fichait (**107**)!...

1. Familier pour : les étonnerait, les emplirait de stupéfaction.

XVIII

Le lendemain soir, la cloche avait rassemblé les élèves de la pension.

Sur le même banc étaient assis Boris, Ghéridanisol, Georges et Philippe. Ghéridanisol tira sa montre, qu'il posa entre Boris et lui. Elle marquait cinq heures trente-cinq. L'étude avait commencé à cinq heures et devait durer jusqu'à six. C'est à six heures moins cinq, avait-il été convenu, que Boris devait en finir, juste avant la dispersion des élèves; mieux valait ainsi; on pourrait, aussitôt après, s'échapper plus vite. Et bientôt Ghéridanisol dit à Boris, à voix mi-haute, et sans le regarder, ce qui donnait à ses paroles, estimait-il, un caractère plus fatal :

« Mon vieux, tu n'as plus qu'un quart d'heure. »

Boris se souvint d'un roman qu'il avait lu naguère, où des bandits, sur le point de tuer une femme, l'invitaient à faire ses prières, afin de la convaincre qu'elle devait s'apprêter à mourir. Comme un étranger, à la frontière d'un pays dont il va sortir, prépare ses papiers, Boris chercha des prières dans son cœur et dans sa tête, et n'en trouva point; mais il était si fatigué et tout à la fois si tendu, qu'il ne s'en inquiéta pas outre mesure. Il faisait effort pour penser et ne pouvait penser à rien. Le pistolet pesait dans sa poche; il n'avait pas besoin d'y porter la main pour le sentir.

« Plus que dix minutes (**108**). »

Georges, à la gauche de Ghéridanisol, suivait la scène du coin de l'œil, mais faisait mine de ne pas voir. Il travaillait fébrilement. Jamais l'étude n'avait été si calme. La Pérouse ne reconnaissait plus ses moutards et pour la première fois respirait. Phiphi cependant n'était pas tranquille; Ghéridanisol lui faisait peur; il n'était pas bien assuré que ce jeu ne pût mal finir; son cœur gonflé lui faisait mal et par instants il s'entendait pousser un gros soupir. A la fin, n'y tenant plus, il déchira une demi-feuille de son cahier d'histoire qu'il avait devant lui — car il avait à préparer un examen; mais les lignes se brouillaient devant ses yeux, les faits et les dates dans sa tête —, le bas d'une feuille, et, très vite, écrivit dessus : « Tu es bien sûr au moins que le pistolet n'est pas chargé? » puis tendit le billet à Georges, qui le passa à Ghéri. Mais celui-ci, après l'avoir lu, haussa les épaules sans même regarder Phiphi, puis du billet fit une boulette qu'une pichenette envoya rouler juste à l'endroit marqué par la craie. Après quoi, satisfait d'avoir si bien visé, il sourit. Ce sourire, d'abord volontaire, persista jusqu'à la fin de la scène; on l'eût dit imprimé sur ses traits.

« Encore cinq minutes. »

C'était dit à voix presque haute. Même Philippe entendit. Une angoisse intolérable s'empara de lui et, bien que l'étude fût sur le point de finir, feignant un urgent besoin de sortir, ou peut-être très authentiquement pris de coliques, il leva la main et claqua des doigts comme les élèves ont coutume de faire pour solliciter du maître une autorisation; puis, sans attendre la réponse de La Pérouse, il s'élança hors du banc. Pour regagner la porte, il devait passer devant la chaire du maître; il courait presque, mais chancelait.

Presque aussitôt après que Philippe fut sorti, Boris à son tour se dressa. Le petit Passavant, qui travaillait assidûment derrière lui, leva les yeux. Il raconta plus tard à Séraphine[1] que Boris était « affreusement pâle »; mais c'est ce qu'on dit toujours dans ces cas-là. Du reste, il cessa presque aussitôt de regarder et se replongea dans son travail. Il se le reprocha beaucoup par la suite. S'il avait pu comprendre ce qui se passait, il l'aurait sûrement empêché, disait-il plus tard en pleurant. Mais il ne se doutait de rien.

Boris s'avança donc jusqu'à la place marquée. Il marchait à pas lents, comme un automate, le regard fixe; comme un somnambule plutôt (**109**). Sa main droite avait saisi le pistolet, mais le maintenait caché dans la poche de sa vareuse; il ne le sortit qu'au dernier moment.

La place fatale était, je l'ai dit, contre la porte condamnée qui formait, à droite de la chaire, un retrait, de sorte que le maître, de sa chaire, ne pouvait le voir qu'en se penchant.

La Pérouse se pencha. Et d'abord il ne comprit pas ce que faisait son petit-fils, encore que l'étrange solennité de ses gestes fût de nature à l'inquiéter. De sa voix la plus forte, et qu'il tâchait de faire autoritaire, il commença :

« Monsieur Boris, je vous prie de retourner immédiatement à votre... »

Mais soudain il reconnut le pistolet; Boris venait de le porter à sa tempe. La Pérouse comprit et sentit aussitôt un

1. Sa vieille gouvernante.

grand froid, comme si le sang figeait dans ses veines. Il voulut se lever, courir à Boris, le retenir, crier... Une sorte de râle rauque sortit de ses lèvres; il resta figé, paralytique, secoué d'un grand tremblement.

Le coup partit. Boris ne s'affaissa pas aussitôt. Un instant le corps se maintint, comme accroché dans l'encoignure; puis la tête, retombée sur l'épaule, l'emporta, tout s'effondra (**110**).

Lors de l'enquête que la police fit un peu plus tard, on s'étonna de ne point retrouver le pistolet près de Boris — je veux dire : près de l'endroit où il était tombé, car on avait presque aussitôt transporté sur un lit le petit cadavre. Dans le désarroi qui suivit immédiatement, et tandis que Ghéridanisol restait à sa place, Georges, bondissant par-dessus son banc, avait réussi à escamoter l'arme sans être remarqué de personne; il l'avait d'abord repoussée en arrière, d'un coup de pied, tandis que les autres se penchaient vers Boris, s'en était prestement emparé et l'avait dissimulée sous sa veste, puis subrepticement passée à Ghéridanisol. L'attention de tous était toute portée sur un point, et personne ne remarqua non plus Ghéridanisol, qui put courir inaperçu jusqu'à la chambre de La Pérouse, remettre l'arme à l'endroit où il l'avait prise. Lorsque plus tard, au cours d'une perquisition, la police retrouva le pistolet dans son étui, on aurait pu douter qu'il en fût sorti et que Boris s'en fût servi, si seulement Ghéridanisol avait songé à enlever la douille de la cartouche. Certainement il avait un peu perdu la tête. Passagère défaillance, qu'il se reprocha par la suite, bien plus hélas! qu'il ne se repentit de son crime. Et pourtant ce fut cette défaillance qui le sauva. Car, lorsqu'il redescendit se mêler aux autres, à la vue du cadavre de Boris qu'on emportait, il fut pris d'un tremblement très apparent, d'une sorte de crise de nerfs, où madame Vedel et Rachel, toutes deux accourues, voulurent voir la marque d'une excessive émotion. On préfère tout supposer, plutôt que l'inhumanité d'un être si jeune; et lorsque Ghéridanisol protesta de son innocence, on le crut. Le petit billet de Phiphi que lui avait passé Georges, qu'il avait envoyé promener d'une pichenette, et qu'on retrouva plus tard sous un banc, ce petit billet froissé le servit. Certes, il demeurait coupable, ainsi que Georges et Phiphi, de s'être prêté à un jeu cruel; mais il ne s'y serait pas prêté, affirmait-il, s'il avait cru que l'arme était chargée. Georges fut le seul à demeurer convaincu de sa responsabilité complète.

Georges n'était pas si corrompu que son admiration pour Ghéridanisol ne cédât enfin à l'horreur. Lorsqu'il revint ce soir chez ses parents, il se jeta dans les bras de sa mère; et Pauline eut un élan de reconnaissance vers Dieu, qui, par ce drame affreux, ramenait à elle son fils (**111**).

Journal d'Édouard

« Sans prétendre précisément rien expliquer, je voudrais n'offrir aucun fait sans une motivation suffisante. C'est pourquoi je ne me servirai pas pour mes *Faux-Monnayeurs* du suicide du petit Boris; j'ai déjà trop de mal à le comprendre. Et puis, je n'aime pas les « faits divers ». Ils ont quelque chose de péremptoire, d'indéniable, de brutal, d'outrageusement réel... Je consens que la réalité vienne à l'appui de ma pensée, comme une preuve; mais non point qu'elle la précède. Il me déplaît d'être surpris. Le suicide de Boris m'apparaît comme une *indécence*, car je ne m'y attendais pas.

« Il entre un peu de lâcheté dans tout suicide, malgré ce qu'en pense La Pérouse, qui sans doute considère que son petit-fils a été plus courageux que lui. Si cet enfant avait pu prévoir le désastre que son geste affreux amenait sur la famille Vedel, il resterait inexcusable. Azaïs a dû licencier la pension — momentanément, dit-il; mais Rachel craint la ruine. Quatre familles ont déjà retiré leurs enfants. Je n'ai pu dissuader Pauline de reprendre Georges auprès d'elle; d'autant que ce petit, profondément bouleversé par la mort de son camarade, semble dispos à s'amender. Quels contrecoups ce deuil amène! Même Olivier s'en montre touché. Armand, soucieux malgré ses airs cyniques, de la déconfiture où risquent de sombrer les siens, offre de donner à la pension le temps que veut bien lui laisser Passavant; car le vieux La Pérouse est devenu manifestement impropre à ce qu'on attendait de lui.

« J'appréhendais de le revoir. C'est dans sa petite chambre, au deuxième étage de la pension, qu'il m'a reçu. Il m'a pris le bras aussitôt et, avec un air mystérieux, presque souriant, qui m'a beaucoup surpris, car je ne m'attendais qu'à des larmes :

« — Le bruit[1], vous savez... Ce bruit dont je vous parlais l'autre jour...

« — Eh bien ?

« — Il a cessé. C'est fini. Je ne l'entends plus. J'ai beau faire attention...

« Comme on se prête à un jeu d'enfant :

« — Je parie qu'à présent, lui dis-je, vous regrettez de ne plus l'entendre.

« — Oh ! non ; non... C'est un tel repos ! J'ai tellement besoin de silence... Savez-vous ce que j'ai pensé ? C'est que nous ne pouvons pas savoir, durant cette vie, ce que c'est vraiment que le silence. Notre sang même fait en nous une sorte de bruit continu ; nous ne distinguons plus ce bruit, parce que nous y sommes habitués depuis notre enfance... Mais je pense qu'il y a des choses que, pendant la vie, nous ne parvenons pas à entendre, des harmonies... parce que ce bruit les couvre. Oui, je pense que ce n'est qu'après la mort que nous pourrons entendre vraiment.

« — Vous me disiez que vous ne croyiez pas...

« — A l'immortalité de l'âme ? Vous ai-je dit cela ?... Oui ; vous devez avoir raison. Mais je ne crois pas non plus, comprenez-moi, le contraire.

« Et comme je me taisais, il continua, hochant la tête et sur un ton sentencieux :

« — Avez-vous remarqué que, dans ce monde, Dieu se tait toujours ? Il n'y a que le diable qui parle. Ou du moins, ou du moins,... reprit-il,... quelle que soit notre attention, ce n'est jamais que le diable que nous parvenons à entendre... Nous n'avons pas d'oreilles pour écouter la voix de Dieu. La parole de Dieu ! Vous êtes-vous demandé quelquefois ce que cela peut être ?... Oh ! je ne vous parle pas de celle qu'on a coulée dans le langage humain... Vous vous souvenez du début de l'évangile : « Au commencement était la Parole. » J'ai souvent pensé que la Parole de Dieu, c'était la création tout entière. Mais le diable s'en est emparé. Son bruit couvre à présent la voix de Dieu. Oh ! dites-moi : est-ce que vous ne croyez pas que, tout de même, c'est à Dieu que restera le dernier mot ?... Et, si le temps, après la mort,

1. Cf. 3e partie, chap. XV, p. 115.

n'existe plus, si nous entrons aussitôt dans l'Éternel, pensez-vous qu'alors nous pourrons entendre Dieu... directement?

« Une sorte de transport commença de le secouer, comme s'il allait tomber de haut mal[1], et tout à coup il fut pris d'une crise de sanglots :

« — Non! Non! s'écria-t-il confusément; le diable et le bon Dieu ne font qu'un; ils s'entendent. Nous nous efforçons de croire que tout ce qu'il y a de mauvais sur la terre vient du diable; mais c'est parce qu'autrement nous ne trouverions pas en nous la force de pardonner à Dieu. Il s'amuse avec nous, comme un chat avec la souris qu'il tourmente (**112**)... Et il nous demande encore après cela de lui être reconnaissants. Reconnaissants de quoi? de quoi?...

« Puis, se penchant vers moi :

« — Et savez-vous ce qu'il a fait de plus horrible!... C'est de sacrifier son propre fils pour nous sauver. Son fils! son fils!... La cruauté, voilà le premier des attributs de Dieu.

« Il se jeta sur son lit, se tourna du côté du mur. Quelques instants encore, de spasmodiques frémissements l'agitèrent, puis, comme il semblait s'endormir, je le laissai.

« Il ne m'avait pas dit un mot de Boris; mais je pensai qu'il fallait voir dans ce désespoir mystique une indirecte expression de sa douleur, trop étonnante pour pouvoir être contemplée fixement.

« J'apprends par Olivier que Bernard est retourné chez son père; et, ma foi, c'est ce qu'il avait de mieux à faire. En apprenant par le petit Caloub[2], fortuitement rencontré, que le vieux juge n'allait pas bien, Bernard n'a plus écouté que son cœur. Nous devons nous revoir demain soir, car Profitendieu m'a invité à dîner avec Molinier, Pauline et les deux enfants. Je suis bien curieux de connaître Caloub (**113**). »

1. Autre nom de l'*épilepsie ;* **2.** Frère cadet de Bernard.

DOCUMENTATION THÉMATIQUE

réunie par la rédaction des Nouveaux Classiques Larousse

Au moment où paraissent *les Caves, les Faux-Monnayeurs* sont annoncés. Gide doit enfin écrire son « premier roman » après la mutation des *Caves.* Or le personnage de Lafcadio, le seul avec celui de Geneviève (celle-ci trouvera une nouvelle existence dans le récit de *Geneviève*) qui ne soit pas enfermé dans la clôture de sa sotie, devait initialement constituer le pivot central des *Faux-Monnayeurs.* On note au début du *Journal des Faux-Monnayeurs :* « J'hésite depuis deux jours si je ne ferai pas Lafcadio raconter mon roman. Ce serait un récit d'événements qu'il découvrirait peu à peu et auxquels il prendrait part en curieux, en oisif et en pervertisseur. [...] Mais il faudrait que les événements se groupent indépendamment de Lafcadio, et pour ainsi dire : à son insu » (17 juin et 11 juillet 1919, O.C., XIII, 5 et 11). C'est pourquoi l'*Appendice* du *Journal des Faux-Monnayeurs* contient des *Pages du Journal de Lafcadio,* sous-titrées « Premier projet des *Faux-Monnayeurs* ».

Il serait intéressant de voir si l'on peut trouver des points communs entre les deux œuvres et de suivre l'évolution de la pensée de Gide de l'une à l'autre à travers certains passages de l'étude consacrée aux *Caves du Vatican* par Alain Goulet (*Les Caves du Vatican, étude méthodologique,* Paris, Larousse, coll. Thèmes et textes, 1972).

1. LE SYSTÈME DE L'ÊTRE.

Le système de l'être, récusé par l'intrigue centrale, l'est également au niveau de chaque personnage. Ce sont tous des fantoches qui n'existent que par relation avec autrui, par un constant processus de reflets. Édouard en exposera la théorie dans *les Faux-Monnayeurs :* « Il me paraît même que si [Laura] n'était pas là pour me préciser, ma propre personnalité s'éperdrait en contours trop vagues ; je ne me rassemble et ne me définis qu'autour d'elle. [...] Je ne suis jamais que ce que je crois que je suis — et cela varie sans cesse, de sorte que souvent, si je n'étais pas là pour les accointer, mon être du matin ne reconnaîtrait pas celui du soir. Rien ne saurait être plus différent de moi, que moi-même. [...] Je ne vis que par autrui ; par procuration, pourrais-je dire, par épousaille, et ne me sens jamais vivre plus intensément que quand je m'échappe à moi-même pour devenir n'importe qui. » (Pl., p. 986-7). D'emblée Armand-Dubois (le trait d'union de ce premier nom indique lui-même une relation) n'est défini que dans son rapport avec Julius, puis Véronique et Beppo. Rapports d'opposition pour les deux premiers, rapports de transgression du système familial pour le troisième (l'émoi qu'éprouve Anthime en entendant « le faible claquement des pieds nus sur les dalles » remplaçant son indifférence pour Véronique), qui institue aussi dans le monde scientifique une relation d'« ange » à « faux-dieu » analogue à la relation qui lie le fidèle au Pape, et dans l'intrigue la comtesse de Saint-Prix ou Amédée à Protos.

Ce processus de reflets introduit un système du double : double qui peut être le même (Fleurissoire et Blafaphas) ou l'autre, l'adversaire (Anthime et Julius enfermés dans leurs système de causalités physiques ou psychologiques). Ces deux cas ne font en réalité qu'un seul, puisque Fleurissoire et Blafaphas s'opposent physiquement (« l'un, déjeté sans être grand, non tant maigre qu'efflanqué, aux cheveux plus déteints que blonds, au nez fier, au regard timide : c'était Amédée Fleurissoire. L'autre, gras et courtaud, aux durs cheveux noirs plantés bas, portait, par étrange habitude, la tête constamment inclinée sur l'épaule gauche, la bouche ouverte et la main droite en avant tendue : j'ai dépeint Gaston Blafaphas » III, 2, 760), et que l'alter ego se révélera le pire ennemi d'Amédée, l'envoyant à la mort pour prendre sa place auprès d'Arnica. Le miroir inverse donc l'image (Lafcadio nous invite lui-même à ce déchiffrement du texte, lui qui sait « lire écriture ou imprimé, couramment, à l'envers ou par transparence, au verso, dans les glaces ou sur les buvards » V, 1, 825). Ou bien la sotie est un miroir cassé qui signifie la mort de l'être. Ce n'est pas par hasard qu'Anthime se regarde dans « un débris de miroir » et que l'on découvre alors, par le jeu de l'écriture, qu'il n'est qu'une chose morte, semblable aux « vieux objets d'argent doré », avec son « regard plus gris, plus froid qu'un ciel d'hiver » (I, 2, 685). Dans le passage symétrique de V, 1, Fleurissoire utilise la vitre du train comme miroir et au lieu d'y trouver l'indentité de son moi n'y découvre qu'une « ombre falote », sanction de l'écroulement des valeurs qui le fondaient : il n'est que le fantôme de lui-même. Les images du miroir montrent en fait l'autre côté du miroir et non le reflet, car le personnage n'a pas de consistance propre. Le miroir brisé signifie la transgression fondamentale de la sotie dont la vision est prophétique.

Chaque livre oppose au personnage annoncé un double, son envers, et par cette confrontation l'être sort du système initial dans lequel il est enfermé, le déconstruit, et le mue en son contraire. L'univers scientiste clos d'Anthime se heurte à l'univers psychologique clos de Julius, et le franc-maçon deviendra le miraculé. Julius, le « claquemuré » s'oppose à Lafcadio libre de tout système, mais il sera séduit par lui au point de devenir le théoricien de l'acte gratuit : le chapitre trois du livre V nous prouve qu'il est devenu le parfait miroir de son demi-frère. Amédée le naïf est confronté à Protos, l'escroc, et il se transformera en l'agent des « Mille-Pattes » (III et IV). Pour Lafcadio, le chemin est inverse : Julius, Protos et Geneviève constituent d'abord des miroirs où il se reflète avant qu'il ne s'oppose à eux ; et le libre jeune homme est devenu prisonnier de son crime. Ainsi le système des miroirs étoile les personnages dans une sorte de kaléidoscope [1]. Ils n'ont aucune existence autonome, même s'il est arrivé à Gide d'affirmer le contraire [2]. Par exemple lorsqu'il ne peut « passer sous silence la loupe d'Anthime Armand-Dubois », ce n'est pas seulement par dérision envers l'écrivain réaliste ou parce que le personnage lui échappe : le narrateur ne peut trouver de fondement interne au choix de celui-ci, à son être. Le détail est gratuit, rapporté, parce que tout le personnage est soumis à l'arbitraire de son créateur, parce qu'il est fait de l'agglomération des reflets qui le modèlent à chaque moment du récit. Le miroir brisé pose le problème de la brisure du texte qui apparaît dans sa composition même : hétérogénéité des différentes aventures et arbitraire de leurs liaisons (elles sont étoilées autour d'un centre caché) ; déconstruction par le récit des éléments indiqués dans le portrait des personnages : le jeu du kaléidoscope décompose la figure initiale et la recrée autre, par un nouvel assemblage des éléments. De même tous les référents réfractés dans la sotie sont décomposés. L'œuvre n'est pas un miroir qui reflète la réalité : elle la diffracte et la subvertit dans le montage qu'elle effectue, jusqu'au moment où l'œuvre se brisera avec ses « fantômes »

1. On sait la passion que Gide a éprouvé pour ce jeu lorsqu'il était enfant : « Un autre jeu dont je raffolais, c'est cet instrument de merveilles qu'on appelle kaléidoscope : une sorte de lorgnette qui, dans l'extrémité opposée à celle de l'œil, propose au regard une toujours changeante rosace, formée de mobiles verres de couleur emprisonnés entre deux vitres translucides. L'intérieur de la lorgnette est tapissé de miroirs où se multiplie symétriquement la fantasmagorie des verres, que déplace entre les deux vitres le moindre mouvement de l'appareil. Le changement d'aspect des rosaces me plongeait dans un ravissement indicible. [...] Parfois l'insensible déplacement d'un des éléments entraînait des conséquences bouleversantes. J'étais autant intrigué qu'ébloui, et bientôt voulus forcer l'appareil à me livrer son secret. » (*Si le Grain ne meurt,* Pl., p. 351-352). On peut considérer toute son œuvre comme le prolongement de ce jeu ; **2.** « Mes personnages, que je ne voyais d'abord que fantoches, s'emplissent peu à peu de sang réel et je ne m'acquitte plus envers eux aussi facilement que je l'espérais. Ils exigent de plus en plus, me forcent de les prendre de plus en plus au sérieux et ma fable première se montre de moins en moins suffisante. » (*J. I,* 7 mai 1912, p. 377).

devant la vérité de « la couleur, la chaleur et la vie »[1]. Déjà en 1931, R. Fernandez voyait dans *les Caves,* « un jeu de miroirs où les thèmes gidiens se croisent et s'évanouissent dans l'éblouissement léger des surfaces réfléchissantes » (*André Gide,* p. 136).

Si la sotie récuse le système du nom et de l'essence, reste le système du verbe, c'est-à-dire les actes. Or ceux-ci constituent toujours une rupture par rapport aux indices qui précèdent, une transgression. Anthime se convertit ; Julius, pris d'une « distraction », passe de l'autre côté de son système ; Amédée le reclus s'engage et échappe à son nid protecteur ; il abandonne sa chasteté en se laissant séduire par une prostituée ; l'acte de Lafcadio, qui se donne comme la rupture totale avec tous les systèmes déterministes, comme la transgression suprême, l'enferme dans un piège ; et Protos lui-même, après avoir présenté la théorie de la transgression (« j'échappe à ma figure, je m'évade de moi... O vertigineuse aventure ! ô périlleuse volupté ! » V, 5, 854), après avoir tiré toutes les ficelles de l'action, tombe finalement dans une trappe dérisoire. Loin de fonder l'être, les actes constituent donc un écart irréductible.

Le cas de Lafcadio est particulièrement caractéristique de ce point de vue. Son nom est lancé comme une énigme dans l'œuvre. Il le restera jusqu'aux dernières lignes dans lesquelles l'auteur s'interroge sur son acte à venir. S'il agit comme un héros, il refuse l'image stéréotypée que Gide a empruntée à la tradition romanesque (*cf.* le sauvetage de Pierre dans *Guerre et Paix,* et de Raskolnikov dans *Crime et Châtiment*) pour la renvoyer à l'image du « clown », du jeu devant le spectateur (II, 4, 724). Par tous ses actes, il reste acteur, personnage d'une sotie, même s'il pense exister de façon autonome, au-dessus des autres êtres (*cf.* « je vais m'envoler, [...] ces passants vont s'apercevoir que je les dépasse énormément de la tête. » II, 4, 723). La longue histoire de son passé va-t-elle fonder son être ? Non seulement son éducation a été contradictoire, mais encore ce miroir à multiples facettes (chacun de ses « oncles » et Protos constituant un reflet de lui-même) se brise et Lafcadio affirme être en rupture par rapport à tous les enseignements reçus (« rien de tout cela ne pénétra bien avant », II, 7, 741) : il refuse que cela l'ait déterminé à être « prêt à tout » ; il n'est « prêt à

1. Les brisures qui terminent *Nuit rhénane* d'Apollinaire (« Mon verre s'est brisé comme un éclat de rire ») ou *le Miroir brisé* de Prévert (« les sept éclats de glace de ton rire étoilé ») permettront de mieux comprendre cette figure du miroir. On peut remarquer que dans ces deux cas l'éclatement de la glace ou du verre est lié au rire, ce sur quoi nous reviendrons. *Cf.* aussi P. Macherey, « l'Image dans le miroir », *Pour une théorie de la production littéraire,* Maspero, 1966.

rien », il est un « être d'inconséquence » (II, 7, 744). En définitive Lafcadio existe-t-il ? Par son carnet nous apprenons qu'il refuse l'échange, le miroir, le paraître, pour sauvegarder son « pour-soi », mais il reste, quoi qu'il en dise, tributaire du regard de ses « oncles » et de Protos, et tous ses actes ne sont que des réponses à des sollicitations extérieures auxquelles il obéit. Son être se réduit bien à ses actes.
Par ses actes, Lafcadio pense constamment rompre avec son passé, brûlant son carnet et sa photo, partant sans laisser d'adresse. Il est aussi l'occasion de la rupture pour Julius, pour Amédée qu'il jette en bas du train, pour Geneviève qu'il éprouve « le besoin de détourner de son père ». Mais il est en proie à une contradiction puisqu'il recherche aussi son origine dans la personne de son père, et qu'il manifeste à plusieurs reprises l'envie de réintégrer sa famille. Dans le train il souhaite revoir Protos, Julius, Carola, et rêve de retrouver ses émerveillements d'enfant en revivant son équipée nocturne en compagnie de l'oncle Wladimir. Ainsi est située l'ambiguïté du livre : il y a contradiction entre la contestation de l'être et une tentation constante de le récupérer, à laquelle héros et narrateur échappent par les ruptures des actions.

2. L'ACTE GRATUIT.

[...] Génétiquement, l'acte gratuit tend à remplacer le vide des valeurs, la table rase, l'absence de Dieu, par l'affirmation de la toute-puissance de l'être qui veut se faire Dieu. Déjà dans *le Prométhée,* l'acte gratuit était commis par le dieu Zeus. Et à la même époque, Gide médite sur l'acte gratuit au travers de sa lecture de Nietzche et de Dostoïevski : « Nietzsche, tout comme un créateur de types, est *enivré* par la contemplation de la ressource humaine [...]. Nul plus que Dostoïevski n'a *aidé* Nietzsche. » Et Gide de se référer au fameux acte gratuit de Kirilov, dans *les Possédés.* Celui-ci explique son suicide : « Si Dieu existe, tout dépend de lui, et je ne peux rien en dehors de sa volonté. S'il n'existe pas, tout dépend de moi, et je suis tenu d'affirmer mon indépendance. [...] C'est en me tuant que j'affirmerai mon indépendance de la façon la plus complète. » Kirilov veut donc devenir « l'homme-Dieu » [...].
De la même manière l'acte gratuit de Lafcadio est un défi lancé à l'ordre de la création, une tentative de s'égaler à Dieu. En une seule page, on peut en relever quatre indices. Lorsque Lafcadio se demande : « D'où me venait cette intense joie [...] ? Je me sentais d'étreinte assez large pour embrasser l'entière humanité ; ou l'étrangler peut-être... », il est certain que cette « joie » est de même nature que celle

qu'éprouve le narrateur de *la Recherche du Temps perdu :* elle est le signe de l'appréhension d'une essence, le signe du salut, le signe de ce qui peut fonder l'être, de ce qui donne sens à la vie. Et cette surabondance de vie consiste à prendre possession de l'humanité entière, à disposer d'elle comme Dieu. Ensuite Lafcadio veut risquer sa vie pour peu que s'offre « quelque belle prouesse un peu joliment téméraire à oser », ce qui fait référence au projet de suicide de Kirilov. Après quoi il parodie le récit de la Création : « Que tout ce qui peut être soit ! c'est comme ça que je m'explique la Création... Amoureux de ce qui pourrait être... » C'est la seule allusion religieuse de Lafcadio, et elle indique nettement qu'il veut par son acte rivaliser avec Dieu. Par son geste il fonde une nouvelle *Genèse* en même temps qu'il se fait le prophète de *l'Apocalypse :* « Ça finira par une catastrophe ; quelque belle catastrophe tout imprégnée d'horreur ! » Enfin sa réflexion suivante est ponctuée par l'interjection : « Dieu ! », la seule de cette espèce de toute la sotie (V, 1, 822-23). L'acte gratuit se présente donc comme l'aboutissement direct de ce discours intérieur. Mais l'action, loin de fonder l'être le limite. A l'Allemand qui lui déclare : « L'action, c'est cela que je veux ; oui, l'action la plus intense... intense... jusqu'au meurtre... », Gide répond : « J'ai peur, comprenez-moi, de m'y compromettre. Je veux dire de limiter par ce que je fais, ce que je pourrais faire. De penser que parce que j'ai fait *ceci,* je ne pourrai plus faire *cela,* voilà qui devient intolérable. J'aime mieux *faire agir* que d'agir. » (*Conversation avec un Allemand,* juin 1904, O.C., IX, 141-42).

La révolte sociale

Julius devient capable de concevoir l'acte gratuit lorsqu'il se révolte contre tous les systèmes logiques et codifiés qui lui ont été inculqués par la société (en psychologie, en morale, dans le comportement social) : « Pour la première fois je vois devant moi le champ libre... [...] seules jusqu'à présent m'obligeaient d'impures considérations de carrière, de public, et de juges ingrats dont le poète espère en vain récompense. Désormais je n'attends plus rien que de moi. [...] Et puisqu'ils ne veulent pas de moi, ces Messieurs de l'Académie, je m'apprête à leur fournir de bonnes raisons de ne pas m'admettre » (V, 3, 836-7). La gratuité est d'abord expression d'une révolte contre un ordre social injuste.
Ensuite Julius fait une distinction qui ne me paraît pas avoir été judicieusement exploitée : « Plus ce que j'imagine est étrange, plus j'y dois apporter de motif et d'explication.

[...] Je ne veux pas de motif au crime; il me suffit de motiver le criminel » (V, 3, 837). Il est donc certain que le personnage de Lafcadio est justiciable d'un traitement psychologique, et on ne s'est pas fait faute de retrouver en lui des indices, de les lier de façon à faire apparaître l'acte gratuit comme un produit du passé de son auteur. Mais en définitive, cela ne prouve rien, sinon que le livre possède cette cohérence minimum qui le rend « lisible ». L'acte, lui, reste aberrant, scandaleux, aussi rebelle à l'explication que le miracle de la conversion d'Anthime. Mais cette conversion est récupérée dans l'intrigue par l'Église catholique, tandis que le crime reste irrécupérable pour tous. [...] En fait l'acte gratuit résiste à toute intégration, et c'est sur le plan social qu'il reste le plus scandaleux. Il reste le symbole de la révolte spontanée, de l'explosion inexplicable et irréductible. Il est le grand éclat de rire de l'auteur qui subvertit toute idéologie sociale. Massis ne s'y était pas trompé, qui accusa Gide de satanisme. Gide est bien, dans ce livre, Satan, si on appelle Satan, dans la tradition de *la Sorcière,* le transgresseur par excellence, celui qui brise les cadres d'une société close et qui permet le progrès de l'humanité.

Voilà pourquoi Lafcadio, après avoir émis la possibilité de s'égaler à Dieu par un acte gratuit, déclare : « Si j'étais l'État, je me ferais enfermer » (V, 1, 823). Penser s'égaler à Dieu est non seulement folie, c'est aussi un acte subversif, un crime contre la société. Et aussitôt après, Lafcadio juge celle-ci comme une « belle collection de marionnettes; mais les fils sont trop apparents, par ma foi! On ne croise plus dans les rues que jean-foutre et paltoquets. Est-ce le fait d'un honnête homme, Lafcadio, je vous le demande, de prendre cette farce au sérieux? » La société n'est qu'une farce où chacun se donne en spectacle, à l'image de ce qui se passe dans la sotie. Lafcadio, rempli de son acte virtuel, se croit le seul à échapper à cette société close, le seul être libre qui ne tire ses motivations que de lui-même à l'exclusion de toute motivation sociale, et qui s'apprête à le prouver. C'est aussi le sens du long commentaire de Protos : Lafcadio est « *lawless* ». Certes, si on insère l'acte dans le système de l'intrigue, on s'aperçoit que Lafcadio fait lui aussi partie de cette société de marionnettes, puisque son acte ne fait qu'obéir à la nécessité de la disparition de Fleurissoire, puisqu'il enferme son auteur de la même manière que sont enfermés les autres personnages de la sotie. Mais le scandale de son immotivation demeure : il constitue une force qui échappe complètement au contrôle de la société, aux règles du comportement, beaucoup plus qu'aux règles de la psychologie ou de la morale.

L'évanouissement du narrateur

Le narrateur est toujours présent dans la sotie et intervient chaque fois qu'il met en place ses marionnettes : que ce soit en face du franc-maçon Anthime ou du miraculé au livre I, en face de Lafcadio et de Julius au livre II, en face de Protos et d'Amédée aux livres III et IV. Or lorsqu'il aborde l'acte gratuit, le romancier disparaît en tant que tireur de ficelles. Il délègue le rôle de théoricien à Julius, ce qui permet toutes les lectures possibles, de la plus sérieuse à la plus ironique, puisque Julius est sans cesse en contradiction avec lui-même. L'acte de Lafcadio est précédé par le flux du monologue intérieur et par de brèves notations de mouvements, derrière quoi le narrateur s'efface. Puis l'acte même s'inscrit dans le blanc qui sépare deux chapitres. Littérairement parlant, il est un creux, une faille, une absence qui ponctue le point culminant de la sotie. Dans la suite du texte, le narrateur continue à se cacher derrière Lafcadio, tandis que celui-ci se révèle incapable de comprendre un acte qui lui est devenu étranger.

La gratuité de l'acte va donc de pair avec le retrait de l'auteur qui ne peut rendre compte de ce qui se passe derrière les mots, à l'intérieur de son personnage. Gide se borne à suivre alors son comportement, à relater ses paroles, mais l'acte ne peut être expliqué parce que le personnage n'a pas d'« âme » au sens traditionnel du terme. Il est pure présence, il est une question posée au lecteur, d'où sa vertu agissante et sa pérennité. Son acte gratuit reste un pur point d'interrogation, un vide inquiétant, symbole même de l'ironie de l'ensemble de la sotie. Il n'y a pas de vérité simple, on ne réduit pas les faits par des explications sécurisantes.

Cette résistance du texte à une structuration unique fait des *Caves* une œuvre-limite qui n'est pas si éloignée des œuvres de Sade, de Dostoïevski ou d'Artaud, textes subversifs par leurs limites mêmes, par tout ce qui conteste une « normalité » réfractée de la société. « Un crime, vite, que je tombe au néant, de par la loi humaine », disait Rimbaud. On a cherché à se débarrasser de Gide de cette manière. Malheureusement, ce crime, Gide l'a commis par procuration, et il continue à se dresser comme un point de résistance à toutes les réductions hâtives et arbitraires. L'acte de Lafcadio, après ceux des héros de Dostoïevski, opère une rupture radicale dans le code des actions romanesques, comme Rimbaud, Mallarmé et Lautréamont avaient rompu avec l'écriture poétique traditionnelle. C'est aussi par ces expériences de rupture d'un héritage culturel que la société est mise en question.

3. LE STYLE.

Yves Gandon écrit dans un article des *Nouvelles Littéraires :*

Reste le style — assez particulier — de Gide romancier : c'est-à-dire, le style des *Caves du Vatican* et des *Faux-Monnayeurs.* « En art, voyez-vous, disait un jour Oscar Wilde à l'auteur de *Paludes,* qui nous rapporte le trait, il n'y a pas de première personne. » Mais c'est que, justement, Gide ne se sent vraiment à l'aise, en possession de tous ses moyens, que lorsqu'il emploie le discours direct. Et cela est si vrai que, dès qu'il peut abandonner le ton objectif du conteur pour s'introduire lui-même dans le récit, il n'hésite jamais à le faire. Ainsi, dans les *Caves,* il interrompt sa narration de la visite de Julius chez Lafcadio pour observer : « Je ne « voudrais pas qu'on se méprît sur le caractère de Julius à ce « qui va suivre... »

La gêne visible de Gide à prendre — ou à conserver — le ton du romancier pur — je veux dire objectif — se traduit de-ci de-là, dans ses deux romans par des gaucheries qui étonnent chez le maître-conteur de *la Porte étroite.* Pour n'en donner qu'un témoignage, on ne peut guère s'empêcher de trouver une facture un peu lourde au paragraphe suivant : « Juste-Agénor de Baraglioul buvait une tasse de tisane en écoutant une homélie du père Avril, son confesseur, qu'il avait pris l'habitude de consulter fréquemment ; à ce moment, on frappa à la porte et le fidèle Hector, qui depuis vingt ans remplissait auprès de lui les fonctions de valet de pied, de garde-malade et au besoin de conseiller, apporta sur un plateau de laque une enveloppe fermée. »

La servitude des petits détails concrets indispensables au roman semble ainsi toujours agacer prodigieusement André Gide, et son écriture s'en ressent. (L'on est tenté de croire que l'artiste chez lui contrarie le romancier — ou inversement.)

Pour le style du critique — où de très bons esprits s'accordent à reconnaître que Gide a donné ses meilleures réussites (*Prétextes, Nouveaux Prétextes, Dostoïevsky, Incidences*) — il marque le même genre de perfection ramassée, à la fois sèche et brillante, qui fait le haut mérite de ses « récits » les plus achevés comme *la Porte étroite* ou *la Symphonie pastorale.*

Enfin il y aurait lieu de noter la position de Gide en ce qui regarde la grammaire. Tout comme M. Paul Claudel, il est d'avis d'admettre tôt ou tard, dans la langue écrite, les populaires « se rappeler de » et « causer à quelqu'un » : locutions qu'il se garde toutefois d'employer lui-même. En revanche, il écrit « malgré que » pour « quoique », et, d'une façon constante, « vis-à-vis de » pour « à l'égard de ». On ne peut

s'étonner, dans ces conditions, qu'il en tienne pour « sortir » verbe transitif. A la page 15 de ses *Morceaux choisis,* je relève encore la tournure suivante (il s'adresse à Barrès) : « *Ceux pour vous* louer étant légion... »
Fautes volontaires? Avec un écrivain comme Gide, que les questions de forme ne cessèrent jamais de passionner, cette supposition est permise. Et il a répondu d'avance, le rusé, à tous les regratteurs de syllabes, tant passés qu'à venir, en écrivant dans ses *Pages de journal :*
« Certains écrivains n'encourent jamais aucun reproche, qui ne sont point pour cela des meilleurs. »

4. IDÉES ET INFLUENCES.

Dans un article paru dans *les Nouvelles Littéraires,* Léon Pierre-Quint dégage les grandes lignes de pensée de Gide et certaines influences déterminantes sur ses écrits.

[...] C'est une joie plus haute, une joie absolue, équilibrée, que veut André Gide; il recherche le sentiment de l'éternité dans l'instant par la communion avec le divin.
Aussi n'est-il pas un philosophe, mais un moraliste religieux. Philosophe, son système aurait peut-être vieilli déjà. L'ondoiement de sa pensée, au contraire, est un des secrets de sa jeunesse et de son influence prolongée sur des groupes restreints, mais divers, pendant plusieurs générations. La plupart des romanciers français, Balzac, Flaubert, Stendhal, et les grandes œuvres d'imagination française se placent hors du problème de Dieu. Les personnages se meuvent, avec leurs passions, dans la société. Il semble que pour eux la question de Dieu soit résolue : ou bien la religion est admise par eux et pratiquée docilement, ou elle est écartée définitivement et n'apparaît jamais. Le cas est très net chez Proust, où Dieu est complètement absent. Et sans doute cette absence correspond-elle à une absence de préoccupations religieuses chez la majorité des lecteurs, qui peuvent néanmoins être des croyants, mais des croyants rassurés. André Gide, au contraire, ouvre dans son œuvre tout le mystère effrayant des espaces infinis. Le problème métaphysique entre avec lui dans la vie de tous les jours. Les questions morales que rencontrent ses personnages, c'est en fonction de Dieu, et jamais en fonction de la société, que ceux-ci cherchent à les résoudre. Le débat est essentiellement entre l'individu et l'éternité; ils sont constamment et directement face à face, l'auteur inclinant, dans certains de ses livres, à donner toute l'importance à l'individu, par réaction contre une orthodoxie religieuse mal interprétée : dans d'autres livres, au contraire, l'individu faisant le sacri-

fice de lui-même pour atteindre une félicité hors du temps; enfin, dans ses derniers ouvrages, le héros recherchant un équilibre qui ne se déroberait plus. L'œuvre de Gide touche donc, avant tout, l'âme inquiète, et, d'abord les jeunes gens, l'adolescence étant par excellence l'âge de l'inquiétude, où se posent dans leurs magnifique ampleur les grandes interrogations et où, par contre, les questions sociales ne paraissent que de petites devinettes mesquines. L'adolescent, tout au moins celui qui n'est pas dénué de toute vie intérieure, pense à sa situation sur la terre et non pas à la situation d'avenir dans la société que prépare pour lui sa famille. A peine né à la vie, il est tout près de l'Idée de la mort; ne possédant rien, il se jette au cœur de la douleur; ou n'ambitionnant que la joie pure, il ignore les concessions au relativisme qu'enseigne l'expérience; il est sans masque; il est nu; c'est presque un monstre brutal dans un milieu de politesse générale. Mais il reste heureusement pendant cette dangereuse période sous la tutelle des sages ascendants; le jour où on l'émancipe, il est, d'ordinaire, conforme au modèle voulu; il n'est plus. Réciproquement, c'est l'adolescent que Gide a souvent choisi comme modèle dans ses livres; il a mis en scène des jeunes gens, des collégiens, des enfants même, parce que ce sont les êtres tourmentés justement avec le plus de sincérité, de spontanéité.

Ainsi s'est creusé l'espèce de fossé qui sépare l'œuvre de tout un grand public. Elle est à l'opposé d'un rationalisme traditionnel. Or, ces temps derniers, Gide semble s'être plu à pousser son attitude à l'extrême, si loin, qu'elle peut sembler, au premier moment, nettement provocante. C'est d'abord qu'il est resté d'une étonnante jeunesse : cet esprit, qui s'est formé au siècle dernier, en plein symbolisme, a rejoint les écoles les plus avancées, en les précédant, parfois, par la création de cet étonnant personnage qu'est Lafcadio. On nous parle aujourd'hui sur tous les tons de l'abîme créé par la guerre entre les générations. Gide semble les avoir traversées sans trop de mal. *Paludes* et *les Caves du Vatican,* datés d'avant 1914, n'ont pas vieilli; ce sont des livres présents pour les jeunes gens d'aujourd'hui. Depuis la guerre, l'activité intellectuelle de M. Gide semble s'intensifier. Il revient d'une expédition au Congo, voyage qui l'a amené à s'intéresser à tout un domaine d'idées nouvelles. *Les Faux-Monnayeurs,* du point de vue moral, étudient la crise de puberté chez l'enfant, et, du point de vue artistique, évoquent toute la question du roman. Nous manquons encore de recul pour juger de l'importance de cette vaste fresque; *Corydon,* composé antérieurement, mais publié récemment, dialogue sous forme didactique certainement très inférieur aux autres ouvrages du même auteur, pose gravement les questions restées jusqu'alors les plus secrètes. Avec *Si le grain ne meurt,* qui vient de paraître, André Gide n'hésite pas à choquer brutalement l'esprit public actuel. L'auteur cependant se rend compte très nettement du caractère extraordinairement osé de son livre. Il pense être en avance de quelques dizaines d'années sur l'état présent de l'opinion. Le désaccord d'aujourd'hui lui semble provisoire. Le premier devoir de la critique est d'essayer de comprendre ce qu'est ce désaccord. Tâche difficile devant la vivacité des réactions que provoque, dans un milieu très limité d'ailleurs, un ouvrage tel que *Si le grain ne meurt.* Si cet ouvrage apparaît, en ce moment, comme scandaleux, il est pourtant certain que le but de l'auteur n'a pas été la poursuite d'un scandale. Le dédain de Gide pour les grands succès, son horreur de la foule, toute son attitude, telle que je viens de la montrer, dévouée à l'art pur, nous obligent immédiatement à écarter cette interprétation. Mais Gide est si mal connu, qu'il est nécessaire de faire ressortir des vérités qui semblent d'évidence pour ceux qui l'ont pratiqué. Celle-ci est d'ailleurs tellement exacte, que, quoique l'ouvrage soit sorti entouré d'une légende de scandale, il n'a pas atteint d'autres lecteurs que ceux qui composent habituellement le public de Gide.

Ce public a deviné qu'il ne trouverait rien de pornographique dans cet ouvrage. C'est M. Benjamin Crémieux qui nous donnait, il y a quelque temps, ici même, dans ce journal, à propos de *La Garçonne,* une très exacte définition de la pornographie : toute description scabreuse, si elle n'est pas indispensable, si elle n'appartient pas au corps même du livre, devient pornographique. Elle n'est plus qu'une sorte de hors-d'œuvre destiné à exciter tels instincts du public. Ce reproche ne peut être fait à *Si le grain ne meurt.* Les parties de cet ouvrage, qui semblent scandaleuses au jugement de notre temps, font partie intégrante, on le verra, de la matière même de l'œuvre ; elles forment un point essentiel du sujet général. On ne peut même pas dire que l'auteur aurait pu choisir un autre thème, puisqu'il ne l'a pas choisi, à proprement parler ; celui-ci, c'est André Gide en personne, et *Si le grain ne meurt,* c'est la confession de l'écrivain.

C'est donc la question de la sincérité de l'artiste envers lui et son art au-delà des limites de l'opinion sociale que propose cet irritant ouvrage ? Peut-il y avoir réussite quand l'artiste fait des concessions à d'autres qu'à lui-même ? Est-ce le devoir de l'artiste de développer le domaine de la littérature, de l'étendre sur des terrains vierges et de s'atta-

quer aux frontières de la morale collective qui lui fermaient ces contrées nouvelles ?
En ce qui concerne particulièrement cet ouvrage, quelle est la nécessité impérieuse qui a poussé André Gide au combat ? Si l'on pense aux malentendus qui éloignent déjà le public de lui, il faut croire que des raisons intérieures profondes seules ont pu l'amener à risquer sa gloire, même une gloire de solitaire, sur un terrain de lutte où « les plus intrépides reculent épouvantés ». Que signifie cet enjeu extraordinaire ? Etrange époque que la nôtre ! Toutes ces angoissantes interrogations la traversent sans provoquer de réponses véritables. Le cas a été analogue à propos d'un livre d'un tout autre genre, *La Victoire* de M. Fabre Luce.
Cependant la gravité des questions qu'André Gide a réveillées ou crées, l'importance de sa personnalité s'imposent si vivement à quelques esprits en éveil que de rares articles, malgré tout, ont rompu la trêve du silence. L'indépendance de M. Paul Souday, sa curiosité, sa faculté de reconnaître tout de suite la valeur relative des œuvres les unes par rapport aux autres l'ont amené, un des seuls critiques jusqu'à ce jour, à consacrer à cet ouvrage tout son feuilleton, qui concluait d'ailleurs dans le sens très net d'un condamnation sans appel. Pour entrer dans les questions soulevées par M. Gide, pour comprendre les motifs puissants qui l'ont incité à cette dernière publication, il ne faut surtout pas extraire tel chapitre de l'ouvrage, mais le juger dans son ensemble. Quoique ces confessions s'arrêtent à l'âge où l'auteur a vingt-quatre ans et ainsi ne soient pas achevées, elles forment un tout puissant, dont la signification est précise. C'est cette unité de l'œuvre que je voudrais faire ressortir.
Elle est dans le contraste entre la sombre éducation puritaine du héros et la brusque révélation chez lui d'une nature amoureuse, qui semble monstrueuse à son milieu, à la société, au monde. Dans les deux premiers tomes, nous saisissons l'influence sur un enfant de caractère sauvage d'une ambiance ultra-religieuse ; nous pénétrons dans cette famille bourgeoise, sévère jusqu'à la rigidité, orthodoxe jusqu'au fanatisme. L'enfant paraît d'abord avoir tiré un bon parti de l'enseignement reçu : il est lui-même mystique, obéissant et continue la tradition morale des siens. Mais brusquement, sans que nous ayons assisté à une révolte du jeune homme, ni dans son esprit, à un renversement de valeurs, tout l'échafaudage monté en lui par l'éducation cède et craque ; sa nature véritable, ses sens, comprimés jusqu'alors, l'emportent. Il se retrouve lui-même, et tout surpris, presque épouvanté d'être en opposition avec sa famille, avec son

milieu, c'est-à-dire avec les directions de sa ferveur religieuse. C'est à ce moment que, seul avec son moi et ses désirs en face de Dieu, il parvient à accorder des tendances antinomiques, à réconcilier, pour son propre usage, le plaisir païen avec la joie spirituelle du christianisme, à se justifier, à trouver l'équilibre. Mais entre l'individu et Dieu, il y a la société. André Gide s'en inquiète peu, et c'est pourquoi il scandalise, ou s'il s'en occupe, c'est pour donner tort à la morale collective, la société interprétant faussement les paroles du Christ sur lesquelles elle vit cependant. André Gide en retrouve, selon lui, le sens véritable, et, c'est ainsi qu'il rétablit l'harmonie entre ses désirs et son sens religieux. D'ailleurs, je crois, que toujours le fidèle en face de son Dieu trouvera un terrain d'entente avec lui, surtout en face d'un Dieu interprété par le fidèle lui-même, puisque ce Dieu recréé est alors une expression des besoins d'idéal du propre moi ; si des désirs contraires coexistent dans une même conscience, ils finiront également par trouver leur justification tous ensemble dans l'esprit. Ainsi M. Gide trouve une réponse à son tourment par l'individualisme : il fait abstraction de la société, et Dieu, c'est encore, projetée dans le ciel, une partie de lui-même. Aussi craint-il de temps à autre que le diable ne se soit mêlé à son débat... Quelle sombre enfance que celle de notre héros ! Les taches de clarté disparaissent complètement (jardins, espaces, sourires), absorbées par une atmosphère de pénible sévérité. Appartements mal éclairés; collèges-prisons; absence de camarades ou camarades querelleurs et méchants; professeurs, hommes ou femmes, presque tous insignifiants, pauvres, ignorants et bornés; les journées, les années apparaissent comme voilées, telles des pellicules photographiques noircies. Dans cette ombre, qui enveloppe cette période d'enfance, il ne serait pas trop surprenant qu'aient pris naissance les démons de M. Gide.

Les ascendants du jeune enfant présentent un curieux mélange de catholicisme et de protestantisme, compliqué de ce fait que sa mère, catholique, est du nord de la France, son père protestant (dans la famille duquel on retrouverait souvent des catholiques) du Midi. André Gide en tire diverses conséquences sur la multiplicité contradictoire de sa personnalité. Du récit que nous fait l'auteur, c'est pourtant très nettement le puritanisme qui domine, qui enveloppe tout. Son grand-père est « un huguenot austère, entier, très grand, très fort, anguleux, scrupuleux à l'excès, rigide et poussant la confiance en Dieu jusqu'au sublime. Ancien président du tribunal d'Uzès, il s'occupait alors presque uniquement de bonnes œuvres et de l'instruction morale et religieuse des catéchumènes. » Le portrait de ce grand-père pourrait être reproduit sur les armes de toute la famille Gide, placé en tête de ces mémoires, qu'il semble suivre et dominer de près ou de loin.

L'esprit de contrainte est d'essence religieuse chez le père de Gide, qui, n'étant pas pasteur, ne pouvait être sans doute que professeur de droit. Ce même esprit de contrainte est proprement bourgeois chez la mère de Gide et dans sa famille. La devise de l'esprit bourgeois pourrait être : « Nous nous devons », nous nous devons d'attendre que M. X... nous rende sa visite ; nous nous devons d'envoyer un cadeaux aux Z..., qui nous ont fait un présent l'an dernier. La noblesse est tellement consciente de la valeur de ses titres, son orgueil est si puissant que les vrais aristocrates ne songent jamais un instant qu'ils peuvent déchoir en faisant mille amabilités spontanées et même non payées de retour à des inférieurs ; ils savent bien qu'aucune avance de leur part ne pourra combler le fossé qui sépare d'eux le reste du monde. C'est sans doute parce que les bourgeois sont encore trop directement issus du peuple ou parce qu'aucun consécration ne sanctionne officiellement leur situation qu'ils ne pensent qu'à ne pas compromettre celle-ci. Ils remplacent l'orgueil par le devoir ; leur sécurité absente par l'effort constant ; leur aise et leur agrément par un sentiment de défense qui va jusqu'à la défiance. Comme les titres leur manquent, ils cherchent d'autres signes extérieurs : « Nous nous devions, raconte Gide, comme disait ma tante Claire, de ne jamais voyager qu'en première classe ; de même, au théâtre, de ne pas aller ailleurs qu'au balcon », d'avoir des housses sur les meubles du salon pour les léguer aux enfants, etc. Il ne faudrait surtout pas croire que ce sont là des dédains sans importance. Ils jouent dans la vie quotidienne comme dans les graves décisions de la famille bourgeoise, un rôle essentiel. La mère du héros, devenue veuve, veut déménager pour un appartement plus petit. Aussitôt intervient la tante Claire, qui déclare sur un ton tranchant : « Oui, l'étage passe encore. On peut consentir à monter. Mais quant à l'autre point, non, Juliette ; je dirais même : absolument pas... Ce n'est pas une question de commodité, mais de décence... Tu te le dois, tu le dois à ton fils ». Cet autre point, explique Gide, c'était la porte cochère. « D'ailleurs, c'est bien simple, si tu n'as pas de porte cochère, je peux te nommer d'avance ceux qui renonceront à te voir » ajoutait la tante Claire péremptoirement.

La bourgeoisie, non pas surtout comme classe, mais en tant qu'esprit, a transformé les communautés, les avantages extérieurs, que confère la fortune en attributs conventionnels, destinés à imposer le respect, puis, oubliant leur origine, elle fait de la possession de ces symboles enfantins le plus terrible des devoirs de la vie, la raison d'être de la vie. La vie n'est plus qu'un cadre formel, avec des superstitions dominantes, qui se fixent, ici, dans la porte cochère, là, dans la croyance que les enfants orphelins ne peuvent pas être bien élevés.

Ce formalisme rigide s'accompagne naturellement d'un même formalisme politique et religieux. Le narrateur nous raconte que ses parents lui faisaient « admirer » les « retraites aux flambeaux » qui défilaient à Rouen peu de temps après la guerre de 1870, ou bien le respect de tel de ses oncles n'admettant pas la moindre critique qui puisse atteindre l'armée. La famille du jeune André Gide recevait *Le Triboulet,* journal ultra, dont les numéros voisinaient avec ceux de *La Croix*. Grandes batailles au lycée de Montpellier où fréquentait notre héros, entre élèves royalistes et républicains. Il demande à sa mère quelle attitude il doit prendre : « — ... Dis que tu es pour une bonne représentation constitutionnelle », lui conseille-t-elle en ajoutant : « Les autres ne comprendront pas plus que toi. »

Ailleurs, quand l'enfant ayant raconté qu'un de ses camarades s'est déclaré athée, demande : « — Qu'est-ce que cela veut dire : athée? — Cela veut dire : un vilain sot ». Réponses toujours sans répliques possibles, sans issue, définitives. Le formalisme religieux de la famille de Gide prend d'ailleurs un aspect écrasant : l'auteur le dépeint comme une passion farouche et fatale, qui dévore intérieurement tous les membres de la famille, d'autant plus qu'ils sont de confessions différentes. Voici, par exemple, le portrait de l'oncle Henri : « ... Il s'était fait catholique vers l'âge de dix-huit ans, je crois, ma grand-mère, en ouvrant une armoire dans la chambre de son fils, tombait à la renverse évanouie : c'était un autel à la Vierge. » Dès lors, il n'est pas étonnant que la colère de Dieu fasse souvent trembler l'enfant jusque dans toutes les petites occasions de l'existence. Il se promène avec Lionel et ses confrères. Eclate un orage... « ... Nous nous sentîmes visés, oui, menacés directement. Alors, selon notre coutume, repassant ensemble notre conduite, l'un l'autre nous nous interrogions, tâchant de reconnaître à qui le terrifiant Zeus en avait. Puis, comme nous ne parvenions pas à nous découvrir de gros péchés récents, Suzanne s'écriait : — C'est pour les bonnes! Aussitôt nous piquions de l'avant, au galop, abandonnant ces pécheresses au feu du ciel. »

Dans ce milieu et cette famille, il n'est pas difficile d'imaginer le genre d'éducation que peut recevoir un enfant. Quand il est tout jeune, je suis frappé avant tout par le rôle important des « bonnes ». L'anecdote ci-dessus en témoigne. La bonne réapparaît encore dans les premières pages du livre, un soir où les parents donnent un bal : le bambin, couché, s'est relevé attiré par la fête, et rencontre Marie qui « comme moi tâchait de voir, dissimulée, un peu plus bas... » L'enfant est un objet dans les mains de la bonne, qu'elle manie machinalement selon les règles d'un programme fixé par les parents. De temps à autre, elle présente à ceux-ci une sorte de compte rendu de la journée, porte des jugements sur les actes, la conduite, la santé de l'enfant, qui l'ignore ou qui doit se taire. Les affirmations de la bonne sont infailliblement exactes et acceptées par les parents tout comme les déclarations d'un agent assermenté en justice, même si elles sont contredites par l'accusé, lequel, vis-à-vis d'elle, a tort par définition.

La suite de l'article de Léon Pierre-Quint dégage, en particulier à travers *Si le grain ne meurt,* l'influence qu'eut sur Gide une enfance puritaine : influence qui s'étend à son œuvre littéraire.

Tout le sujet du livre, c'est l'influence d'une éducation et les résultats inattendus qu'elle donne. Sorti des mains de bonne et jusqu'à sa majorité l'enfant continue à être considéré comme une chose, comme un soldat, qui doit avant tout obéir sans comprendre. Sans doute l'éducation a-t-elle pour but l'assouplissement de l'enfant en vue de le faire entrer dans le monde du type familial, parfois dans un monde perfectionné, quand les parents désirent que leur enfant les surpasse, réalise pour eux leurs ambitions déçues. Le système employé reste toujours le même : une sévérité systématique; ne pas laisser à l'enfant le temps de comprendre, de se défendre :

« — D'où avez-vous eu cette clef?

— Je...

— Je vous défends de répondre... »

« Au demeurant, ajoute l'auteur, cette impuissance à me justifier avait amené tout aussitôt une sorte de résignation dédaigneuse. »

Si l'enfant a quelque sensibilité, il se replie en lui-même; il devient un timide; d'autres se cabrent et finissent par se révolter. Chez Gide, se réaliseront l'une et l'autre conséquence [...].

Et c'est pourquoi l'enfant, tel qu'il nous est dépeint, semble manquer si souvent de sensibilité apparente. S'il s'éprend d'une vive amitié pour son camarade Armand Barretel, aussitôt nous apprenons qu'il échange avec lui « des lettres bizarres, mystérieuses, cryptographiées... La lettre était déposée dans un coffret clos, lequel se dissimulait dans la mousse ». La mort de son père est un événement brièvement conté : « J'étais surtout sensible à l'espèce de prestige dont ce deuil me revêtait aux yeux de mes camarades ». Naïveté qui n'a rien d'exceptionnel chez un enfant ; on la retrouve, délicieusement mise en scène, chez le jeune David Copperfield, par exemple. Mais l'auteur insiste sur sa légèreté de cœur : le bonheur de revoir ses cousines « l'emportait presque, ou tout à fait sur mon chagrin ». De même le besoin de créer une atmosphère secrète ou de jouer la comédie est fréquent chez les enfants ; pour se rendre intéressant, il pleure trop fort. C'est une espèce d'instinct qui se retrouve même chez les nouveau-nés. Mais cette sournoiserie paraît plus développée chez le héros du livre, qui va jusqu'à simuler à moitié, « ou tout à fait » une maladie nerveuse, à convulsions épileptiques et qui poursuit son jeu jusque devant les médecins.

Je ne voudrais pas à mon tour rendre toute l'atmosphère de jeunesse de ces confessions plus sévère et pesante, plus dépourvue d'élan et de tendresse qu'elles ne sont réellement. De temps à autre, une scène d'une fraîcheur inattendue nous surprend : celle d'un bal, par exemple, où le pauvre enfant, déguisé en mitron, parce que ce costume est bon marché, est humilié de retrouver vingt autres costumes de mitron, choisis par les parents sans doute pour les mêmes raisons d'économie, humiliation qui l'envahit encore davantage lorsqu'il aperçoit un charmant arlequin de son âge, pour lequel il se sent soudain une amitié immense, mais qui ne fait aucune attention à lui. Encore retrouvons-nous dans cette scène ce qui me paraît être l'effet naturel d'une éducation rigoriste, un besoin de modestie, une peur de soi poussés jusqu'à vouloir abîmer, salir sa propre image.

Aussi je ne sais rien de plus difficile à atteindre que la vérité dans des confessions. L'auteur semble prendre parfois une sorte de plaisir de masochiste à insister surtout sur les vilains traits de l'enfant qu'il était, même si ces traits sont exacts. Dès la quatrième page, il se décrit « affublé d'une ridicule petite robe à carreaux, l'air maladif et méchant, le regard biais ». Là, il « rapporte » des propos entendus à table aux domestiques ; ailleurs, il devient la risée de la classe par la manière grandiloquente dont il récite les vers : cependant c'est qu'il en a justement une compréhension plus vive et profonde que les autres. Mais sauf quelques brefs élans d'amitié, comme celui qu'il a pour l'arlequin, pour Armand Barretel, et quelques mouvements succincts de ferveur mystique, pour la Bible et pour sa cousine, il est toujours l'enfant sournois et épris du clandestin. C'est que l'on va peut-être plus loin dans l'analyse du moi dans le roman que dans les confessions. Tout au moins, pour l'auteur, « l'on est parfois gêné dans [celles-ci] par le « je » ; il y a certaines complexités que l'on ne peut chercher à démêler et à étaler sans apparence de complaisance ».

C'est ce qui explique que M. Gide passe si rapidement sur l'éveil des sentiments poétiques de l'enfant. Nous ne le voyons pas, par exemple, attiré vraiment par l'art. Nous n'assistons pas à toute la jubilation intérieure qui a dû l'agiter pendant qu'il préparait les *Nourritures Terrestres.* Il y a aussi dans la personnalité de M. Gide, opposé à la contrainte, tout un côté de spontanéité juvénile, un véritable besoin de jouer et de rire, qui est celui du sage, selon Nietzsche, qui a dépassé sa souffrance, aspects qui ne nous sont pas dépeints dans ces confessions. Mais ma critique est sans doute vaine : puisque c'est dans les *Nourritures Terrestres* elles-mêmes que nous nous sentons emportés par sa ferveur d'amour et sa facilité ; dans *les Caves du Vatican* que nous retrouvons son esprit cocasse et sa fantaisie gratuite.

L'auteur a eu probablement raison de ne pas sortir de son sujet ; ces confessions sont, dans les premiers volumes, une longue suite de menus faits et d'anecdotes. On voudrait parfois arrêter le narrateur dans son récit et lui demander de s'appesantir davantage sur l'une de ces histoires, la plus caractéristique. Aucun répit ne nous est laissé, aucun détail n'est épargné. Le ton de l'ensemble n'est pas essoufflé pourtant, parce que la phrase de l'écrivain — sauf l'emploi de quelques termes précieux — est d'une pureté continuelle. Mais surtout cette accumulation de petits événements, le grand nombre de personnages épisodique (oncles, cousins, professeurs) prennent tout à coup leur véritable signification quand nous pénétrons dans le troisième volume. Quel va être le résultat de cette sombre éducation ultra-puritaine sur ce jeune homme de dix-huit ans ?

Il vient de faire paraître, à ses frais, et sans même songer à trouver un éditeur bénévole, *les Cahiers d'André Walter,* qui n'ont eu, je l'ai dit, aucun succès. Introduit par son ami Pierre Louÿs, il traverse les milieux symbolistes ; il fait la connaissance des collaborateurs de *la Revue Blanche* : Henri de Régnier, « le plus marquant d'eux tous », Francis Vielé-Griffin, Gustave Kuhn, « qui passait pour l'inventeur du vers libre », Ferdinand Hérold ; d'autres : Léon Blum, Bernard Lazare, qui furent plus tard attirés par la politique. Mais André Gide se sent mal à l'aise ; il craint d'importuner ceux vers qui il est attiré ; chez Heredia, « j'y serais mort de gêne si Pierre Louÿs n'eût été là » ; il ose à peine présenter ses hommages aux dames réunies dans la pièce du fond. Chez Mallarmé, dans les salons, partout dans le monde, « j'avais l'esprit si lourd, ou du moins si peu monnayé, que j'en étais réduit à me taire chaque fois qu'il eût fallu plaisanter... je ne fis que quelques apparitions épouvantées ».

Cette adolescence enfermée en elle-même se prolonge au-delà de toute mesure. Il a vingt ans. Que lui manque-t-il ? C'est un écrivain indépendant ; sa famille, contrairement à tant d'autres, l'encourage dans cette carrière. Il a hérité la fortune de son père et n'a pas le souci de gagner sa vie. Il a déjà pénétré dans les milieux littéraires et il exerce les fonctions de critique à *la Revue Blanche*. Il a plusieurs livres « en préparation ». Un grand amour mystique pour sa cousine Emmanuelle emplit son âme depuis l'âge de quinze ans. « La vie ne m'était plus de rien sans elle, et je la rêvais partout m'accompagnant... » Ils lisent ensemble les tragiques grecs et l'Evangile. Leur enhousiasme n'exclut aucune tendance. « Je portais un *Nouveau Testament* dans ma poche ; il ne me quittait point ; je l'en sortais à tout instant, et non point seulement quand je me trouvai seul, mais bien aussi en présence de gens... offrant à Dieu ma confusion et mes rougeurs sous les quolibets de mes camarades. » Le jeune homme trouve une âpre joie dans sa ferveur religieuse mêlée à sa ferveur amoureuse. Que lui manque-t-il ?

Il lui manque l'équilibre du corps, la satisfaction des désirs de la chair. Il a voulu les négliger, les rabaisser ; ils éclatent malgré lui ; ils prennent des détours pour se rappeler à lui ; ils désorganisent son existence ; ils l'empêchent de travailler ; de se sentir simplement heureux. Cette timidité maladive, qui pèse sur lui, comme une voile, qui l'isole des hommes et de la vie, il sent confusément qu'elle est liée à l'engourdissement de ses membres, à sa jeunesse inutile, à sa chasteté sans issue. C'est ici que sa terrible éducation l'arrête : à seize ans, sa mère lui interdisait les lectures anodines, ne lui permettait pas d'entrer sans elle dans la bibliothèque paternelle, l'obligeait à faire devant elle des lectures à haute voix et lorsque, comme dans l'*Albertus* de Théophile Gautier, survenait une strophe considérée comme dangereuse, elle était sautée et comme censurée. Ce grand garçon n'avait pas le droit de regagner seul, la nuit, sa demeure ; comme une jeune fille, sa mère l'accompagnait, et encore *Albert* leur conseillait : « Vous ferez mieux de suivre le milieu de la chaussée, jusqu'à la station de tramway. » Naturellement, le passage du Havre était considéré comme un repaire de damnation, et quand le collégien apprend qu'un de ses camarades n'hésite pas à le traverser pour rentrer chez lui par le plus court chemin, le jeune Gide tout secoué de sanglots, se précipite à ses genoux : « ... Oh ! je t'en supplie : n'y va pas. »

C'est contre la pensée du plaisir charnel, transformé par le puritanisme en épouvantail, que le jeune homme devait réagir. Il a vingt-trois ans maintenant. Enfin, il se décide à partir en Algérie avec son ami Paul Laurens, bien résolu à se débarrasser de toutes ses entraves... Sa sensualité a fait tomber la morale sur laquelle il a vécu jusqu'alors. La morale ne lui semble pas devoir être la même pour tous, mais recréée par chaque individu conformément non à la lettre, mais à l'esprit véritable des Evangiles. Car il est bien certain qu'une personnalité qui a été formée comme celle de Gide, ne peut pas se passer de morale, (comme presque personne, d'ailleurs), mais a besoin encore d'une morale à tendances religieuses. C'est alors qu'il sépare nettement l'idée de contrainte de l'idée de Dieu. Il ne veut pas croire que l'amour de Dieu exige de rejeter de soi tout ce qui constitue profondément et essentiellement vos désirs, votre nature intime. Il abandonne les religions orthodoxes, catholicisme, protestantisme qui représentent une interprétation voulue de la Bible, et fausse. Doit-on admettre alors la liberté d'interprétation, qui serait un protestantisme véritable ? N'y a-t-il pas le risque d'anarchie ? En tout cas, Gide aime si intensément les Evangiles qu'il a l'impression d'exprimer leur véritable sens.

Ce voyage en Algérie est pour lui un enchantement continuel : le troisième tome en est tout ensoleillé. Le jeune homme a l'impression d'être régénéré, de sortir d'une prison, d'être rendu à la liberté.

Son esprit reposé retrouve l'équilibre, ses sens apaisés lui procurent une sorte de vrai bonheur. Ce bonheur serait-il contraire à l'esprit du Christ ? La Bible ne parle-t-elle pas sans cesse de la joie ? Ne dit-elle pas : « Heureux ceux qui... », « Prenez... », « Donnez... ». Les couleurs apaisantes et la douce lumière de la contrée où Jésus a prêché n'incitent-elles pas au bonheur ? C'est une grande erreur, pense Gide, de croire, comme Nietzsche, que l'esprit du christianisme est une doctrine de sombre ascétisme et hostile au plaisir. Pour Gide, sans doute, le Christ s'oppose à l'Eglise : idée banale, presque évidente, souvent reprise, encore tout récemment par Jacques Rivière dans *A la trace de Dieu,* et par tant d'autres.

Mais Gide va plus loin : c'est le paganisme qu'il veut réconcilier avec les livres saints ; il continue, mais aujourd'hui en pleine conscience, à lire les Grecs et la Bible, les *Mille et Une Nuits* et les *Psaumes*. Attiré par tous les pôles, il ne veut pas choisir, renoncer à quelque chose qu'il croit essentiel en lui. Son admiration pour William Blake vient justement de ce que Blake allie le ciel à l'enfer. Mais l'enfer, se demande parfois l'auteur, n'est-ce pas un autre ciel ? Faut-il voir là une suggestion diabolique ou la vérité suprême ? Il ne s'analyse pas. Aucun narcissisme véritable. La pensée de l'homme n'est jamais stable définitivement : celle de Gide est en mouvement perpétuel, naît, glisse, disparaît mystérieusement.

Toujours est-il que l'auteur croit avoir trouvé l'équilibre aujourd'hui. *Si le grain ne meurt* est, en un certain sens, l'histoire d'une longue puberté retardée, éclatant soudain. Elle évoque cette terrible question : que vais-je devenir ? Que va devenir mon âme ? Faut-il repousser le plaisir et souffrir dans mon corps ? Faut-il l'accepter et me laisser ronger d'inquiétude ? Question religieuse, drame religieux. La suite de *Si le grain ne meurt* nous apprendrait comment Gide est parvenu peu à peu, mais assez tard, sans doute, après des hauts et des bas, à ne plus lutter, à se laisser aller à sa voie, qui lui paraît vraie et bonne.

Le sentiment chrétien, il croit, malgré tout, le posséder, grâce à ce trait dominant de son caractère : le goût du renoncement. Le Christ n'a-t-il pas dit de ne rien garder, de se dépouiller de tout ? N'est-ce pas là son enseignement essentiel ? Or, le but de la vie, pour Gide, sa joie, c'est justement de donner. J'ai parlé plus haut de son goût du renoncement : il s'est débarrassé, aussi souvent qu'il l'a pu, des terres lui appartenant. Sa maison de Paris n'est jamais installée. Il évite de se faire « servir ». Il n'aime pas, quand il est seul, s'offrir des commodités, dépenser. Cette espèce de goût de la sainteté a été considéré parfois comme de l'avarice. C'est un détachement des choses, un sentiment de la gratuité des biens, un besoin de se perdre, par lequel se retrouve le sens de l'infini. C'est cette tendance qui l'a conduit au mariage. Il a voulu apporter le bonheur à une femme qui l'aimait. Aujourd'hui, il comprend que le bonheur ne peut se donner à un être que si on attend réciproquement de lui le même bonheur. Le bonheur s'échange ; ce n'est qu'à cette condition qu'on peut en faire don. Mais, entre vingt et trente ans, l'auteur était trop présomptueux.

Ce n'est que maintenant qu'il se comprend complètement. Mais il a toujours agi par ce même besoin chrétien de renoncement. Et sans doute serait-il un chrétien accompli s'il n'était tenté par le plaisir. Le plaisir est-il un péché ? Gide ne le pense plus, puisque en somme, aujourd'hui, il ne souffre plus, il ne s'inquiète plus...

[...] On aurait pu croire, après les théories de l'art pour

l'art, que l'art était séparé de la morale. Il n'en est pas ainsi. Le christianisme, en maudissant l'acte de chair, a jeté sur lui une tache indélébile. Certains esprits, qui ne sont pourtant pas religieux, pensent qu'avant bien longtemps l'homme moderne ne pourra pas s'en laver et que tout livre qui évoquera trop directement le péché originel restera toujours un livre honteux. D'autres croient, au contraire, que l'opinion collective morale évolue très vite : — « L'adultère, disent-ils, qui était scandaleux dans *Madame Bovary,* est devenu un sujet ressassé. Quand Baudelaire a chanté la volupté ardente de l'amour avec les filles, il a été condamné. Quand Rollinat ou Magre ont vulgarisé, comme il arrive souvent, les thèmes du maître, la morale ne s'est plus révoltée. » Est-ce que, cette fois, les instincts mystérieux, que Gide met au jour, deviendront, comme le pense l'auteur, un sujet nouveau pour les écrivains de l'avenir, et qui, dans peu de temps, ne causera plus de réel scandale ? Ou bien y a-t-il là, imposée par le christianisme, une barrière que, même les découvertes récentes de Freud, même le caractère volage du public d'aujourd'hui, ne permettront jamais de franchir ? Seul, l'avenir nous dira ce que deviendra le coup d'audace de ce maître sur ce terrain, où, comme il l'écrit lui-même, « les incompréhensions sont si grandes, et les intransigeances si féroces ».

JUGEMENTS SUR « LES FAUX-MONNAYEURS »

Adrienne Monnier me parle assez longuement et éloquemment de la froideur et *méchanceté* foncière que ce livre [*les Faux-Monnayeurs*] laisse paraître et qui doit être le fond de ma nature. Je ne sais que dire, que penser. Quelque critique que l'on m'adresse, j'acquiesce toujours. Mais je sais qu'à Stendhal également on a longtemps reproché l'insensibilité, la froideur...

André Gide,
Journal (16 octobre 1926).

Plus on avance dans ce roman où de si nombreuses sources romanesques giclent, ondoient, serpentent, puis se perdent, mieux on comprend que M. André Gide avertisse que c'est son premier roman. Tout ce qu'il a écrit jusqu'ici, et qu'il dénomme soit : *récits*, soit : *soties*, paraît uniforme et uni à côté et borné, en profondeur, à quelques personnages. Tandis que ce gros livre, tumultueux et pressé, c'est l'orage qui cingle et frappe, de toutes parts, dans une effroyable rumeur, avec cent échos béants, la surface d'une société.

On ne peut même pas dire que ce soit le roman d'une époque, ou d'une classe sociale, ou d'une catégorie de gens, ainsi qu'il arrive dans le roman de caractère ou d'aventure. Tout roman paraît singulièrement délimité et matérialisé, si agité soit-il, auprès de celui-ci. C'est plutôt le *roman du romanesque*, le *roman des romans*, c'est-à-dire l'histoire du mécanisme suivant lequel agit et s'enflamme, de proche en proche, parmi les hommes, le merveilleux maléfice.

Henri Hertz,
N. R. F. (1er mai 1926).

Il s'agit pour l'auteur, et c'est une entreprise assez nouvelle pour lui, de laisser passer dans son œuvre et de décrire à mesure le flot mouvant de la vie. M. Gide est un esprit assez vigoureux pour pousser le système jusqu'à n'en point avoir. Il est vrai que son nouvel ouvrage a l'air abondant, aisé et naturel. On y reconnaît des courants, des remous, un mouvement spontané et continu. On y trouverait presque du désordre et de la confusion, à la russe. Apparences que tout cela! On soupçonne aussi une infrastructure dissimulée, mais très forte, des travaux d'art noyés qui subdivisent les filets liquides. Le bruit du style n'est pas ce chant divers et instable qu'on entend au bruit des torrents, mais une note claire, parfaite et bien tenue.

Henry Bidou,
Revue de Paris (1er mai 1926).

On ne rencontre pas dans *les Faux-Monnayeurs* un enchaînement logique et linéaire des faits; les épisodes ne sortent pas les uns des autres à la façon des tubes d'une longue-vue, mais leur juxtaposition au début du livre, leur apparente diversité (on serait même tenté de dire : leur apparente étanchéité) se réduit peu à peu; une convergence de plus en plus sensible les rapproche, les mêle, les unit, et l'on se rend compte, le roman terminé, qu'il n'est pas un personnage, pas un événement, pas une passion dans *les Faux-Monnayeurs* qui ne conditionne nécessairement le dénouement.

Benjamin Crémieux,
Hommage à André Gide (1928).

Les Faux-Monnayeurs trouvèrent auprès d'une jeunesse « inquiète » (ce fut de 1920 à 1930 une épithète rituelle, homérique) un accès extraordinaire. Ils ont contribué [...] à en fixer pour un temps ce que Barrès appelait la sensibilité. Le roman de Gide ne fait que très modérément sa partie dans une histoire du roman français. Mais il la fait très puissamment, comme celui de Barrès de 1890 à 1902, dans une histoire des influences.

Albert Thibaudet,
Histoire de la littérature française de 1789 à nos jours (1936).

Qu'une œuvre comme *les Faux-Monnayeurs* soit toute chargée d'intelligence, il n'est que trop visible. Qu'elle soit tout à fait un roman, c'est ce qu'il n'est pas si facile de décider. Il semble que ce soit plutôt une œuvre en marche vers le roman, une création qui se serait arrêtée un peu avant la dernière étape de la progression romanesque.

Jean Hytier,
André Gide (1938).

Les adolescents des *Faux-Monnayeurs* sont vrais, parce qu'ils sont peints par quelqu'un qui leur est foncièrement semblable, amoureux du possible, épris de sa propre incertitude et plein d'horreur, comme on l'est à dix-huit ans, à l'idée que peut-être un jour viendra où il ne se trouvera plus indéfiniment disponible. Et ceci est encore une autre leçon des *Faux-Monnayeurs :* l'adolescence passe, mais elle est éternelle. Tel est le sens de cette fresque de jeunes gens que le roman déroule sous nos yeux : après Olivier, il y a Georges; après Georges, il y aura Caloub; la dernière phrase du livre, c'est celle que prononce Édouard : « *Je suis bien curieux de connaître Caloub* », à la fois transposition romanesque du « Pourrait être continué » que Gide voulait substituer au mot « Fin », et affirmation du fait que c'est de l'adolescence « métaphysique » essentielle, et pas seulement psychologique, que *les Faux-*

Monnayeurs sont le roman. Roman de l'adolescence plus que de l'adolescent.

Claude-Edmonde Magny,
Histoire du roman français depuis 1918 (1950).

Les Faux-Monnayeurs sont construits pour dérouter : personnages multiples dont les destinées s'entrecroisent par hasard, sans être unies par une intrigue commune ; caractères en formation comme Bernard Profitendieu, ou en déroute, comme Armand ou La Pérouse ; hommes inégalement ouverts au monde, dont chacun a ses manies et ses soucis, qui ne sont pas ceux des autres. Aucune cohérence factice dans l'action ; on ne trouve plus *la feinte habituelle du romancier, qui est d'intéresser ses personnages aux mêmes problèmes.* Ici, chacun a le sien, et le romancier ne joue pas le maître de ballet.

René-M. Albérès,
l'Odyssée d'André Gide (1951).

Tout accorder à l'aventure et à ses héros, c'était pour l'auteur abdiquer ce droit d'intervention qui a été le long des siècles la grande hypothèse du roman français. Gide et *les Faux-Monnayeurs*, c'est une nuit du Quatre-Août : les personnages obtiennent leur liberté et l'auteur perd ses droits féodaux.

André Julien,
Hommage à André Gide (1951).

L'œuvre d'art ne cherche pas à prouver, et le roman moins qu'une autre. Mais elle peut, elle doit poser des questions. Elle doit inquiéter, associer les lecteurs, ébranler en chacun d'eux une activité spirituelle. Mobilisation de sympathie ou déclenchement d'hostilité, à tout le moins de réflexion. C'est en ce sens qu'un livre, qu'un roman, en dehors de l'histoire qu'il vient de conter, offre aussi à la pensée des thèmes particuliers, et l'incite au débat sur des provocations originales.

Pierre Lafille,
André Gide romancier (1954).

C'est le personnage central, directeur, cet Édouard trop observateur, glaçant (quelque peu émule de Gide quoi qu'il ait pu nier), qui entraîne la — relative — déception.

Marc Beigbeder,
André Gide (1954).

QUESTIONS SUR « LES FAUX-MONNAYEURS »

1. *Les Faux-Monnayeurs* ne débutent-ils pas comme un roman policier ? A quelle intention obéit l'auteur en commençant par une sorte d'énigme ?

2. L'attitude de Bernard, dans la suite, justifiera-t-elle cette parole ?

3. Quels traits semblent caractériser la jeunesse intellectuelle décrite ici ? Croyez-vous que les jeunes gens de votre génération accordent autant de place aux préoccupations littéraires ?

4. Comment se manifeste, d'emblée, la différence de caractère entre Bernard et Olivier ?

5. Connaissez-vous des écoles littéraires qui aient essayé d'appliquer l'esthétique énoncée ici ?

6. En quoi consiste l'art de l'exposition (décor, personnages, intrigue) dans ce premier chapitre ?

7. Par quels moyens l'auteur nous fait-il connaître le milieu social et la situation de fortune de ses personnages ?

8. N'y a-t-il pas une autre œuvre célèbre d'André Gide dont le héros soit également un « bâtard » ? Comment peut s'expliquer la *sympathie* de l'écrivain pour ce genre de personnage ?

9. Pourquoi ce nom est-il « ridicule » ? N'y a-t-il pas, dans le roman, un autre personnage dont le nom soit également le fruit d'un calembour ?

10. Quels sont, en effet, les traits « injustes » et, parfois, *odieux* qu'on peut relever dans la lettre de Bernard ?

11. Quel est l'événement postérieur que l'écrivain prépare ici ?

12. Comment l'auteur rend-il naturelle l'entrée de Caloub et de Mme Profitendieu dans le roman ?

13. La profession de Profitendieu n'explique-t-elle pas ce brusque changement d'attitude ?

14. Qu'y a-t-il de comiquement emphatique dans ce mot ?

15. On étudiera de quelle façon, dans tout ce chapitre, est dépeinte la famille bourgeoise.

16. Quel est exactement le sens du mot ici ? Dans quelle mesure *les Faux-Monnayeurs* sont-ils un roman d'aventures ?

17. Que signifie cette formule ? André Gide n'en avait-il pas fait le thème essentiel de quelques-unes de ses œuvres antérieures ?

18. Quelles sont les « circonstances atténuantes » que s'accorde ici Bernard ? Vous paraissent-elles de nature à excuser son acte ? Ne supposent-elles pas que le jeune homme triche un peu avec lui-même ?

19. Quelle est la part des souvenirs littéraires dans l'allégresse qui soulève ici Bernard ?

20. Par quelles notations délicates l'auteur exprime-t-il la poésie du matin ?

21. Pourquoi cet apologue a-t-il été inséré dans le récit ? Quelle leçon semble s'en dégager ? Est-ce bien celle que lady Griffith en a tirée pour son propre avenir ?

22. A quel événement de la vie de Vincent lady Griffith fait-elle allusion ici ?

23. Cette définition du caractère d'Édouard ne s'applique-t-elle pas intégralement à André Gide lui-même ?

24. N'y a-t-il pas là une des explications du titre choisi par Gide pour son roman ?

25. Dans laquelle de ses œuvres André Gide a-t-il analysé ce phénomène de la « décristallisation » ? A propos de quels personnages l'a-t-il étudié dans *les Faux-Monnayeurs ?*

26. Pour quelles raisons l'écrivain donne-t-il toutes ces précisions un peu laborieuses ?

27. Est-ce votre avis ? Les techniques du cinéma n'ont-elles pas influencé, parfois, le roman contemporain ?

28. Avez-vous jamais ressenti pareil malaise au théâtre ? Si oui, expliquez en quelles circonstances.

29. N'y a-t-il pas, dans *les Faux-Monnayeurs*, d'autres passages où André Gide fait le procès de certaines modes littéraires ?

30. L'écrivain doit-il se préoccuper de l'avenir de son œuvre plutôt que de son succès sur le moment ?

31. Les observations consignées ici sont-elles aussi inutiles qu'Édouard le laisse entendre ? Que préparent-elles, en réalité ?

32. Étudiez le caractère de Georges, tel qu'il se manifeste ici et dans la suite du roman.

33. Pourquoi cette précaution ?

34. Que pensez-vous de cette coïncidence du point de vue de la vraisemblance romanesque ?

35. Comment s'exprime, dans toute cette scène, la satire du protestantisme ?

36. Que nous indique ce trait sur le caractère d'Armand ?

37. Précisez le sens de chacune des trois épithètes employées ici.

38. Comment Gide fait-il savoir l'âge de ses personnages ? N'y met-il pas quelque réticence ? Et pourquoi a-t-il tant tardé à nous l'indiquer ?

39. Pourquoi le terme « chambré » est-il heureusement choisi ?

40. Quel effet produit cette intervention du romancier au milieu même de son récit ? Vous semble-t-il qu'il ait le droit de « juger » ses personnages ?

41. Qu'y a-t-il de pirandellien dans toute cette scène ? (On songera, plus particulièrement, à la pièce de Pirandello intitulée *Chacun sa vérité*.)

42. Par quels procédés l'auteur parvient-il à nous faire voir le vieux La Pérouse et sa femme, sans pourtant nous en faire un portrait détaillé ?

43. Complétez ce qu'allait dire Édouard s'il n'avait pas été interrompu.

44. Illustrez l'idée formulée ici au moyen d'une tragédie choisie dans le théâtre de Corneille ou de Racine.

45. Expliquez ce qu'Édouard veut dire ici, en prenant pour exemple l'une des trois pièces citées par lui.

46. André Gide vous paraît-il avoir atteint ce double but dans *les Faux-Monnayeurs?*

47. Estimez-vous que cette invention soit heureuse?

48. Trouvez-vous le *Journal des Faux-Monnayeurs* « plus intéressant » que *les Faux-Monnayeurs* eux-mêmes?

49. Le titre choisi par Gide vous paraît-il « trompeur »?

50. Dans quelle mesure la réalité peut-elle gêner un romancier?

51. Comment s'explique la brève réapparition de Strouvilhou à cet endroit du roman?

52. Cette phrase n'explique-t-elle pas la future (et passagère) conversion de Gide au communisme?

53. N'y a-t-il pas là une nouvelle explication du titre?

54. Étudiez le caractère de Laura, tel qu'il se manifeste dans ce chapitre, et, plus généralement, dans tout le roman.

55. Que pensez-vous des principes de Molinier en matière d'éducation?

56. Par quels détails l'auteur donne-t-il de la vie et du pittoresque à la conversation qu'il rapporte ici?

57. Comparez le portrait du juge Molinier avec celui de son collègue Profitendieu. Quelle idée André Gide semble-t-il se faire de la bourgeoisie française, d'après des personnages de ce genre?

58. Relevez tous les mots familiers ou argotiques contenus dans ce chapitre. Quelle saveur donnent-ils au texte?

59. Essayez, à votre tour, de donner votre avis sur ces quatre vers.

60. Essayez de définir « l'esprit français ».

61. Dans les idées que développe ici Bernard, ne peut-on pressentir une évolution du personnage? Et dans quel sens?

62. Précisez l'attitude de chacun des trois enfants dans cet épisode.

63. Qu'y a-t-il de comique dans cette appellation?

64. Bernard n'exprime-t-il pas ici un scrupule que Gide lui-même a longtemps ressenti?

65. Est-ce votre avis? Le jugement de Bernard n'explique-t-il pas en grande partie le prestige exercé par Rimbaud sur les poètes surréalistes?

66. Trouvez dans des œuvres littéraires classiques ou modernes des exemples qui justifient ou qui infirment cette maxime.

67. Quelles sont les expressions où se trahit l'emphase de Justinien?

68. Quels motifs ont pu conduire Gide à choisir ce titre, dont il fait évidemment la satire ?

69. Quelle place occupait A. Gide dans les lettres à l'époque où il écrivait *les Faux-Monnayeurs ?*

70. Faites le portrait de Passavant.

71. Pourquoi Gide paraît-il si défavorable à Alfred Jarry, qui était cependant un écrivain anticonformiste ?

72. Étudiez et expliquez l'attitude de Sarah durant toute cette scène.

73. Pourquoi cette « ressemblance » ?

74. Gide vous semble-t-il avoir inventé de toutes pièces les interventions burlesques d'Alfred Jarry ?

75. Étudiez la satire des mœurs littéraires dans ce chapitre.

76. A qui Pauline pense-t-elle ici ? N'exprime-t-elle pas, en outre, une idée chère à l'auteur ?

77. Qu'y a-t-il de douloureux dans le cri de Pauline ? Vous semble-t-elle parler « hargneusement » ?

78. Gide ne s'est-il pas inspiré de cette formule quand il a écrit *les Faux-Monnayeurs ?*

79. Étudiez le personnage de Pauline, en tant qu'épouse et en tant que mère.

80. Quels sont, parmi les livres d'André Gide, ceux auxquels il semble faire allusion ici ?

81. Pourquoi cette répétition ?

82. Que veut dire ici André Gide ? Sa propre enfance n'explique-t-elle pas qu'il puisse parler ainsi ?

83. Comment réagit Édouard ? En homme ou en romancier ?

84. Ces idées sur l'éducation ne rappellent-elles pas certains passages de l'*Émile*, de Rousseau ? Cherchez lesquels.

85. Étudiez l'art du portrait dans tout ce passage.

86. Qu'y a-t-il de satirique dans cette fin de chapitre ?

87. Quel geste de Bernard l'auteur prépare-t-il ici ?

88. Pourquoi Bernard compare-t-il sa vie à un « océan » ?

89. N'y a-t-il pas un léger reproche dans cette parole ? Lequel ?

90. Comment l'auteur rend-il sensible l'incertitude de Bernard ?

91. Quel est l'écrivain français, contemporain et adversaire de Gide, qui a fait l'éloge de la tradition et de la fidélité au passé ? Et dans quelle œuvre, en particulier ?

92. Pourquoi Gide a-t-il préféré « s'enrégimentait » à « s'engageait » ? Quelle est la différence de sens entre les deux verbes ? Que nous enseigne-t-elle sur l'attitude de l'écrivain ?

93. Pourquoi l'ange préfère-t-il lutter contre Bernard plutôt que contre l'orateur qui parle sur l'estrade ?

94. Ne perçoit-on pas ici une évolution dans les idées politiques et sociales d'André Gide ?

95. Quel est le sens de cette lutte symbolique de Bernard avec l'ange ? Quel effet produit-elle sur lui ?

96. Indiquez avec précision chacune des étapes qui jalonnent le retour progressif de Bernard chez son père.

97. André Gide, tout en condamnant le roman à thèse, fait l'éloge du roman à idées. Marquez la différence, et dégagez l'idée (ou les idées) qu'il aborde dans ce chapitre.

98. Dans quelle intention André Gide insère-t-il ce paragraphe dans son roman ?

99. Que signifie le mot « ancillaire »? Vous paraît-il employé ici dans un sens favorable ou dans un sens péjoratif?

100. Dans quelle mesure la vie et l'œuvre d'André Gide vous paraissent-elles répondre à cet idéal ?

101. Cette formule n'est-elle qu'un jeu de mots ? Quelle règle de vie implique-t-elle au fond ?

102. Pourquoi ce refus de Rachel ?

103. Cette appellation vous semble-t-elle heureusement choisie ? Quel état d'esprit suppose-t-elle chez certains enfants ?

104. Quelle diabolique habileté y a-t-il dans cette clause ?

105. Ce sens de la comédie est-il nouveau chez Georges ?

106. Cette précaution est-elle prise uniquement par crainte d' « être surpris » ? Quel en est le vrai motif?

107. Étudiez l'attitude et le rôle de Ghéri, de Georges et de Phiphi dans cette scène.

108. Étudiez les effets de « suspense » ménagés ici par l'auteur.

109. Quelle différence y a-t-il entre un « automate » et un « somnambule » ? Pourquoi le second terme paraît-il plus juste à l'écrivain ?

110. Le drame est raconté avec beaucoup de concision. Pourquoi ?

111. Que pensez-vous de l'attitude de Pauline ? Ne sent-on pas une intention satirique dans la dernière phrase ?

112. N'y a-t-il point là comme l'ébauche d'une métaphysique qui se dégagerait du roman ? Le vieux La Pérouse n'est-il pas un des personnages les plus originaux du roman ? Étudiez son caractère et son évolution.

113. Que pensez-vous de ce dénouement ? N'est-il pas mené un peu rondement ? Et peut-il être regardé comme une véritable conclusion ?

SUJETS DE DEVOIRS

Narrations et portraits :

— A la fin de son roman, Gide exprime son impatience de « connaître Caloub ». On imaginera quel rôle ce personnage aurait pu jouer, si l'auteur avait donné une suite à son œuvre.

— Après avoir décrit Georges en train de subtiliser un vieux guide de l'Algérie à un boutiquier des quais, Édouard écrit : « Nécessité d'abréger beaucoup cet épisode. » — Vous vous livrerez à cet exercice de résumé.

— Faites le portrait de Bernard et celui d'Olivier. Puis comparez les deux personnages.

— Faites le portrait d'Édouard. Puis montrez en quoi il ressemble à celui d'André Gide et en quoi il en diffère.

— Bernard, Olivier, Georges, Laura, Sarah, Rachel vingt ans après.

Dissertations :

— Édouard se déclare peu assuré que *les Faux-Monnayeurs* soit « un bon titre ». Est-ce votre avis ?

— La *technique romanesque* dans *les Faux-Monnayeurs :* ce qu'elle a d'original; ce qu'elle a de déconcertant.

— L'art de la satire dans *les Faux-Monnayeurs.*

— André Gide peintre de la vie conjugale dans *les Faux-Monnayeurs.*

— Le thème de « l'enfant prodigue » dans l'œuvre d'André Gide.

— Quelle *place* vous paraissent occuper *les Faux-Monnayeurs* dans la production romanesque française de l'entre-deux-guerres ?

— Commentez et discutez une de ces affirmations tirées des *Faux-Monnayeurs :*

« Les œuvres d'art sont des actes qui durent. »

« On n'est artiste qu'à condition de dominer l'état lyrique; mais il importe, pour le dominer, de l'avoir éprouvé d'abord. »

« En art, et en littérature en particulier, ceux-là seuls comptent qui se lancent vers l'inconnu. »

« Le romancier, d'ordinaire, ne fait pas suffisamment crédit à l'imagination du lecteur. »

« Il me semble parfois qu'écrire empêche de vivre, et qu'on peut s'exprimer mieux par des actes que par des mots. »

« Dans une société où chacun triche, c'est l'homme vrai qui fait figure de charlatan. »

« Les préjugés sont les pilotis de la civilisation. »

TABLE DES MATIÈRES

Imprimerie Hérissey. — 27000 - Évreux.
Juillet 1973. — Dépôt légal 1973-3e. — No 27842. — No de série Éditeur 10631.
imprimé en france *(Printed in France)*. — 34 400 Z-6-81.